La dictée
Une histoire française

DES MÊMES AUTEURS

LAURE DE CHANTAL

Panthéon en poche, Les Belles Lettres, collection « Signets »,
2007
À la table des Anciens, Les Belles Lettres, collection « Signets »,
2007
Séduire comme un dieu, avec Karine Descoings, Les Belles
Lettres, collection « Signets », 2008
Celebriti, avec Romain Brethes, Les Belles Lettres, collec-
tion « Signets », 2010
Le Jardin des dieux, Flammarion, 2015

XAVIER MAUDUIT

La Barbe ! La politique sur le fil du rasoir, Les Belles
Lettres, 2014
*L'Homme qui voulait tout. Napoléon, le faste et la propa-
gande*, Autrement, 2015
Le Ministère du faste. La Maison de Napoléon III, Fayard,
2016
*Flamboyant Second Empire ! Et la France entra dans la
modernité...*, avec Corinne Ergasse, Armand Colin, 2016

Laure de Chantal & Xavier Mauduit

La dictée
Une histoire française

Préface d'Erik Orsenna
de l'Académie française

Stock

Les auteurs remercient Bernard Pivot, pour avoir accepté la reproduction de deux de ses dictées, et les éditions Hatier qui leur ont ouvert leurs archives.

Couverture Coco bel œil
Illustration : © Collection Jonas/Kharbine-Tapabor

ISBN 978-2-234-08188-8

Prenez vos cahiers !

Si longtemps après, je me rappelle la phrase angoissante.

Je me rappelle sous mon pull ce cœur enfantin qui battait, comme plus tard à l'heure d'un rendez-vous. Il avait bien raison de battre, ce cœur, car j'avais bien rendez-vous. Rendez-vous avec la langue française, déjà mon grand amour. Cette langue qui m'ouvrait, par la lecture, tous les univers et toutes les vies possibles. Allais-je le réussir, ce rendez-vous ? N'allais-je pas d'une erreur tout gâcher ? Par « manque d'attention », comme on disait alors, avant le temps du zapping.

J'avoue ce vice : j'ai aimé la dictée.

J'ai aimé tenter de dompter ce monstre qu'on avait baptisé de ce nom aussi redoutable qu'incompréhensible, ORTHOGRAPHE. J'ai aimé ne jamais y parvenir. Qu'est-ce qu'un monstre dompté ? Presque rien. Un animal domestiqué.

J'ai aimé les fameuses « exceptions », ces ritournelles chantées à mi-voix avant d'écrire pour savoir si le mot proposé en faisait partie. Ah les x finissant bijoux, cailloux, choux, genoux, hiboux, joujoux, poux.

Chaque fois qu'elles me sortaient d'un mauvais pas, j'aurais embrassé ces « méthodes mnémotechniques » (avant de savoir prononcer le mot et bien avant d'en apprendre le sens) : pour bien placer notre cher circonflexe, ah le chapeau de cime tombé dans l'abîme !

J'ai savouré la manière bienveillante dont certains professeurs prononçaient les féminins pluriels : ah les princesses emprisonné-e-s ! Ah les courgettes mijoté-e-s ! François Mitterrand avait cette gourmandise. J'avoue qu'en lui écrivant des discours je les parsemais de telles finales, rien que pour l'entendre les faire ainsi traîner. Pour mieux les goûter, il fermait à demi les yeux. Moi aussi. Je me souviens d'un mardi, soir de décorations. Ah ces deux légions d'honneur particulièrement mérité-e-s !

Plus tard j'ai adoré participer, sans gloire, aux dictées concoctées par Bernard Pivot. Meilleur résultat : six fautes, car j'avais pour voisin l'agrégé de lettres Marc Lambron (mes mauvaises lunettes m'avaient empêché de tout copier).

Chaque dictée est une plongée dans l'intimité de la langue.

Alors, hâtez-vous de voyager dans le recueil qui va suivre !

Car chaque dictée vous offre, le temps d'un petit quart d'heure, une situation inattendue, un paysage inconnu, un de ces personnages, terrifiants ou enchanteurs, de ceux que jamais la vie ne vous offre. Et ne vous arrêtez pas aux titres, même s'ils allèchent déjà. Le titre d'une dictée ne renseigne que peu sur le récit qui va suivre. Je vous le garantis, ouvrez ce livre et vous irez de souvenirs en surprises. Chemin faisant vous réviserez notre Histoire.

Ah, la dictée ! Ah, l'orthographe !

Passions françaises.

On dirait que nos compatriotes chérissent plus l'orthographe de leur langue que leur langue elle-même.

Drôle de préférence, quand même ! Vous me direz... j'ai rencontré des fous qui s'enivrent de solfège sans être musiciens pour deux sous.

Ah la dictée, ah l'orthographe ! Cette levée de boucliers, ces boulevards en révolte dès qu'on envisage, j'ose à peine le mot infâme, une « réforme » ! Mais la langue est vivante, messieurs dames, et donc elle change. Lisez dans les éditions d'époque Racine et Molière. Nos correcteurs d'aujourd'hui ne seraient pas dépaysés : rien que des fautes !

Bien sûr, il faut des règles. Si on a droit de « mettre les mains », le foot devient rugby. Mais la vraie question n'est pas là. La vraie question est celle de l'enseignement : en classe de sixième, UN jeune Français sur CINQ ne maîtrise pas ou maîtrise mal la langue de son pays, c'est-à-dire la langue de sa vie. Quel avenir se prépare-t-il ? Ou plutôt : quel avenir l'Éducation nationale lui prépare-t-elle ?

Y a-t-il un autre domaine où s'imposerait plus une OBLIGATION non de moyens mais de RÉSULTATS ?

N'avons-nous pas compris que la langue est la première des choses communes, je veux dire la première des républiques ?

Et la République, ça se pratique !

Ça se danse, ça se chante, ça se parle et ça s'écrit.

Revenons à nos chères dictées. Souvenez-vous de l'autre phrase, celle qui suit le point final :

« Et maintenant, vous avez cinq minutes pour vous relire ! »

Autre moment de tachycardie garantie ! Ultime moment du rendez-vous galant. Éviter la faute qui déshonore. Se chuchoter le texte, comme pour lui dire adieu.

Et maintenant, dictez sans crainte de mauvaises notes, vous l'avez mérité. Ne lisez pas seulement pour vous tout seul. Lisez à haute voix pour que l'entièreté de vous entende. Lisez pour vos proches.

Et apprenez par cœur. Un exercice, le « par cœur », qu'on me dit délaissé. Quel dommage ! Pourquoi cette crainte de l'effort ? N'est-ce pas l'apprentissage qui, comme en musique, accroît le plaisir ?

La dictée, la lecture éveillent les sens. C'est tout le mal que je vous souhaite.

Et tendez bien l'oreille, quand on vous dicte.

L'orthographe est au bout de la langue.

Erik ORSENNA
de l'Académie française

À vos plumes

*Quand deux verbes se suivent, le second
se met à l'infinitif.*

En 1553, quatre ans après que les membres de la
Pléiade ont écrit la *Deffence et Illustration de la langue
françoyse*, le poète Pierre Durand publie un « *livre très-
utile & proufitable* » au titre digne d'un programme
scolaire : *Le Stile et Manière de composer, dicter &
escrire toute sorte d'épistres, ou lettres missives, tant par
response, que autrement, avec Épitome de la poinctuation, & accentz de la langue Françoise.* Au XVIᵉ siècle,
l'orthographe et la grammaire ne sont pas encore
fixées, et il est amusant de découvrir ses réflexions sur
« les accentz de la langue Françoise ». Chaque mot en
serait aujourd'hui biffé au stylo rouge. Pierre Durand
respecte pourtant les règles de grammaire mais selon
son orthographe : « Note doncques, que, quand, a,
est article ou preposition, il le faut signer d'un accent
grave en ceste sorte, à. » Le poète a raison et nous
l'avons aussi appris à l'école : il ne faut pas confondre
a et *à*. Sa volonté de codifier le français est louable

et il est un pionnier. Quand Pierre Durand parle de « dicter », il faut comprendre l'art de composer une lettre. Nous sommes alors bien loin de la dictée telle que nous l'avons pratiquée en classe puisqu'en 1553 elle aurait peu de sens, sans orthographe précise. Surtout, sur la page de titre du livre de Pierre Durand, une vignette illustrée annonce la couleur, avec pour devise *Coërcenda Voluptas* ; *la volupté doit être contrainte*. Ce message venu du XVIe siècle est encore aujourd'hui pertinent. L'exercice de la dictée est à la fois mortifiant, voire traumatique, et voluptueux. Il nous rappelle que la discipline est avant tout le petit fouet douloureux qui sert d'instrument de pénitence aux dévots et aux tartuffes ainsi qu'aux enseignants jésuites. Cette discipline scolaire et un tantinet sado-masochiste s'est imposée lentement. Il a fallu attendre la création de l'Académie en 1635 pour que l'idée d'un dictionnaire unifié du français se concrétise. Le mot « dictée » y fait son entrée en 1740, après déjà trois réformes de l'orthographe. Les immortels, qui ont du temps devant eux, y travaillent encore. Merci, monsieur Orsenna ! Auparavant, le français s'écrivait comme on voulait ou comme on pouvait, en fonction des patois, des humeurs et des moyens du bord : il était libre, il était truculent, il était rabelaisien, mais il était confondant. Songez que, dans les différentes éditions des contes de Perrault, l'aimable Cendrillon perd une pantoufle de verre et de vair. Walt Disney a imposé la vérité plus tard, heureusement car le vair est un petit écureuil beaucoup trop mignon pour être écorché vif et finir en escarpin.

« Ce qui se pense bien s'énonce clairement » : à l'orthographe de suivre et à l'Académie d'y veiller.

Désormais « le bel françois » s'écrit selon des règles qui mettent du temps à s'imposer et sont constamment questionnées. S'opposent deux grandes écoles, les partisans de l'orthographe selon l'étymologie, et ceux qui en tiennent plutôt pour la phonétique. Parmi ces derniers, il y a les Précieuses, celles dont Molière s'est si allègrement moqué. Outre quelques moments de franche rigolade, nous leur devons l'accent circonflexe et la simplification de certains mots comme « autheur ». Les querelles et les réformes se succèdent, le débat n'est jamais clos ni la hache de guerre enterrée.

La révolution orthographique a lieu au XIXᵉ siècle, mais elle ne vient pas de l'Académie : pour construire la nation, le pouvoir politique a besoin d'une langue unifiée. En 1833, la loi Guizot organise l'instruction primaire : « Toute commune est tenue, soit par elle-même, soit en se réunissant à une ou plusieurs communes voisines, d'entretenir au moins une école primaire élémentaire. » En 1836, l'Académie présente la sixième édition de son *Dictionnaire*. La volonté politique de fixer le français rencontre le travail académique sur la langue. Il ne reste plus qu'à dicter.

La dictée est un exercice qui plaît aux pionniers de l'enseignement, alors enclins à la répétition et au par cœur. Les règles du jeu sont simples. Il faut être au moins deux – un pour dicter et un qui écrit – et le matériel se résume à une feuille, à une plume ou un stylo et bien sûr à un texte. Tout peut être dicté : le passage d'un grand classique, un article de journal voire l'annuaire, même si dans ce cas l'intérêt est limité. Bien vite, les instituteurs sont en quête de textes adaptés au niveau et à l'âge de leurs élèves.

Apparaissent ainsi les recueils de dictées. Il y en a de tout type : manuel spécifique, manuel scolaire avec des dictées de-ci de-là, annales ou encore revues destinées à l'enseignant. Le livre du maître contient à la fois des textes originaux, les règles de grammaire, des exercices et surtout leur réponse. Les extraits d'auteur sont souvent adaptés. Anonymes et vedettes de la dictée sont tripatouillés sans vergogne, coupés, tronqués, simplifiés voire reformulés : la littérature perd ce que l'exercice gagne.

En 1850, la loi Falloux complète la loi Guizot. Le besoin en manuels se fait plus pressant. En 1866, la création du certificat d'études est une nouvelle avancée. Si le baccalauréat est réservé à une élite, le certif' est accessible au plus grand nombre. La multiplication des écoles et l'accroissement des effectifs scolaires contribuent à unifier le français : partout, les écoliers utilisent la même langue. Dans les années 1880, les lois Ferry achèvent la construction de l'édifice scolaire. L'école est devenue gratuite, laïque et obligatoire. Plus aucun petit Français n'échappe à la dictée et les résultats sont surveillés. De 1873 à 1877, l'inspecteur général Beuvain d'Altenheim collecte partout en France des milliers de copies, qu'il envoie ensuite à son ministre. Dans ce corpus de souffrance, la dictée « Les arbres », d'après Fénelon, se distingue. Elle apparaît plus de trois mille fois. Un siècle plus tard, la forêt de Beuvain s'agrandit de trois mille nouveaux arbres, le nombre d'élèves qui participent à l'étude menée en 1987 par André Chervel et Danièle Manesse. La cime de l'arbre n'a pas de chapeau mais chapeau aux auteurs de cette enquête ! Quels en sont les résultats ? Est-ce que le niveau baisse ? Non, les élèves ont progressé, coup de hache dans un poncif solide comme un chêne centenaire. Nouvelle étude en 2005, et cette fois, ouf, le niveau a baissé. Le déclin a-t-il commencé ?

Les arbres s'enfoncent dans la terre par leurs racines, comme leurs branches s'élèvent vers le ciel. Leurs racines les défendent contre les vents et vont chercher, comme par de petits tuyaux souterrains, tous les sucs destinés à la nourriture de leur tige. La tige elle-même se revêt d'une dure écorce qui met le bois tendre à l'abri des injures de l'air. Les branches distribuent en divers canaux la sève que les racines avaient réunie dans le tronc. (Fénelon, extrait du Traité de l'existence de Dieu, rédigé entre 1701 et 1712)

Dans nos dictées, il y a la France, plus exactement une certaine idée de la France, la France mythique et civilisatrice, mais aussi la France du progrès car l'école doit forger les citoyens de demain. Paradoxale et ambiguë, humaine en somme, elle développe sans cesse les mêmes idées tout en reflétant l'air du temps. Elle danse une valse à trois temps, deux pas en avant, un pas en arrière. En cela, la dictée est magique, hypnotisante, écœurante parfois, nostalgique toujours. Ce n'est pas un hasard si la *Deffence et Illustration de la langue françoyse* et la nostalgie ont un père commun, Joachim du Bellay, qui, à la différence d'Ulysse, ne fut pas très heureux. Nos dictées ont la saveur du rétro, mais avec parfois un arrière-goût rétrograde. Certains textes sont intemporels, d'ailleurs utilisés à différentes périodes sans se démoder : la glorification des moissons, de l'amour filial ou de la Patrie ne peut être surannée. À l'inverse, certaines dictées sont périmées et rances. Leur mièvrerie honteuse et leur obscurantisme effraient. Par la dictée, la France rayonne, mais elle a sa part d'ombre. La nostalgie a tôt fait de se transformer en traditionalisme, les images d'Épinal en clichés insupportables : les vieux enfants font des vieillards capricieux.

Exhumer ces manuels de dictées, c'est parler de ce que nous sommes, d'où nous venons et peut-être où nous allons. C'est aussi découvrir quelques pépites littéraires, dictées loufoques, désuètes, drôles même, ou simplement magnifiques. Les lire évoque l'enfance. Le tableau, la tache d'encre, l'angoisse du doublement de consonne ou de l'accord du participe passé, la crainte de la bulle et du redoublement : l'adulte y pense avec émotion et regret, et, même s'il a été un cancre, il en est fier. Les faire, c'est se frotter à la langue brute, reine, sans qu'elle soit au service de la communication ou d'un message. C'est redécouvrir des mots et des réalités oubliés. C'est aussi reconquérir le plaisir d'écrire au stylo et d'apprendre quantité de mots nouveaux.

Le cœur qui bat, la gorge qui se serre, dédain feint ou sincère, nous avons tous une histoire d'amour, parfois malheureuse, avec la dictée. La dictée c'est la femme fatale, avant l'heure, de la cour de récré : elle ne nous passe rien et nous lui permettons tout. Ni recueil, ni étude scientifique, c'est un voyage au pays des dictées que nous vous proposons. Ses étapes sont la nostalgie et la surprise, parfois le sourire, mais toujours avec l'amour de l'école et de l'orthographe. Lui seul nous rappelle que toute faute est pardonnable.

Un marqueur de l'histoire

Le roman national

Il faut plus d'r pour se nourrir que pour
mourir.

Les instituteurs dictent les pages glorieuses du
roman national. Roman-fleuve, roman d'aventures,
roman familial, il tient plus souvent de la fable que
de l'histoire et narre une épopée bien plus vaste que
les régimes politiques : royauté, empire ou république,
la France est une évidence millénaire dont l'histoire
resplendit de héros. Peu importe que le territoire
ait été peu à peu construit, et, quitte à trafiquer les
biographies, il faut donner aux petits Français le
sentiment d'être unis pour défendre la Patrie. C'est
un beau roman, c'est une belle histoire. Au faîte de
l'arbre généalogique, « nos ancêtres les Gaulois »,
selon l'expression à succès, sont adoptés par les dictées. Pour leur donner la plus grande profondeur historique, il n'est pas honteux de les confondre avec
les hommes des cavernes.

La vie gauloise
Les Gaulois vivaient de pêche et de chasse. Ils habitaient des cavernes ou des huttes bâties au milieu des forêts pour se préserver des bêtes sauvages. Ils n'avaient que des pierres pour armes et instruments de travail.

Revue de l'enseignement primaire, octobre 1908

Avec leurs peaux de bêtes et leur tenue négligée, ces hommes gallo-préhistoriques sont nos papis pouilleux : ils sentent la crasse, le cuir et la férocité. Quelle injustice pour les Gaulois, orfèvres hors pair, forgerons de renom et bâtisseurs de villes !

L'ancienne république des Gaules était composée de soixante-quatre peuples, qui avaient chacun leurs lois particulières, leurs chefs et leurs magistrats. Lorsque la république était menacée, ils étaient tous obligés de contribuer à la levée des troupes et des impôts, chacun suivant sa population et ses richesses. Les Parisiens étaient un de ces petits peuples ; ils étaient gouvernés par un sénat de femmes et par les druides, qui exerçaient sur eux, chacun suivant la différence de leurs fonctions, la suprême autorité. Lorsque les Gaulois furent attaqués par les Romains, toutes les nations de la Gaule se réunirent contre l'ennemi commun, et combattirent chacun selon sa puissance et ses forces. Ils résistèrent dix ans, animés qu'ils étaient contre leurs oppresseurs, et ayant tous à défendre leurs foyers, leur patrie et leur liberté.

B. Jullien, *Nouvelles dictées d'orthographe*, 1853[1]

---

1. Les références complètes figurent dans la bibliographie en fin d'ouvrage. (*N.d.A.*)

Les Gaulois sont bien pratiques pour affirmer une origine commune fantasmée. Que représentent-ils à côté des Romains civilisateurs ? Issus de la Gaule hirsute, ils attendent César pour coiffer la Gaule peignée. Les Gaulois velus et batailleurs sont des ancêtres que l'on aime bien mais de loin. Astérix n'est pas né et Obélix n'est pas encore tombé dans la marmite de potion magique. Les vrais héros sont plutôt ceux qui ont donné leur nom au pays, les Francs, non pas de terribles envahisseurs mais d'aimables bergers.

Un peuple pasteur : les Francs

Les Francs, avant d'arriver en Gaule, étaient pasteurs et guerriers. Ils conduisaient devant eux, avec leurs lances, de grands troupeaux. Ils passaient de pâturage en pâturage, de pays en pays. Ils étaient nomades et voyageurs.

Les mots. Qu'est-ce qu'un pasteur ? (Celui qui conduit un troupeau.) Qu'est-ce qu'un nomade ? (Celui qui n'a pas de demeure fixe.)

Les idées. Pourquoi les Francs allaient-ils de pâturage en pâturage ? (Car l'herbe du pâturage s'épuisait et qu'il n'y avait plus de nourriture pour les bestiaux.) Comment appelle-t-on un peuple qui ne fait que voyager ? (Nomades, voyageurs.)

Existe-t-il encore des nomades ? (Oui, les bohémiens.)

Exercices. Grammaire : Cherchez les noms et les adjectifs qui les qualifient. Style : mettre la dictée au singulier.

Trouvez des mots de la famille de Francs. (Franc, France, Français, franchise.)

Revue de l'enseignement primaire, juin 1909

Pourquoi ennuyer les jeunes esprits avec des débats historiques ? Dans les dictées, l'histoire est faite de clichés. Sans doute sont-ils utiles pour construire une mémoire commune. Prêtons-nous au jeu. Louis XIV est surnommé le roi... Soleil ! Si je vous dis 1515, vous répondez... Marignan ! Qui a arrêté les Arabes à Poitiers ? La réponse en dictée, avec la joyeuse possibilité d'un texte simplifié entre parenthèses, pour éviter de se mettre martel en tête.

Parlez ô champs qui êtes (sont) devenus célèbres par la bataille de Poitiers, où (dans qui) Charles Martel, à la tête des Francs, a repoussé vigoureusement ces conquérants que l'Arabie avait vus naître, et qui jusqu'alors s'étaient fait craindre et admirer de l'univers. C'est là que (où) le génie de Mahomet a ployé (plié) devant le génie français. La bravoure et le dévouement de vos ancêtres ont (a) sauvé l'Europe qui s'était vu attaquer et quelquefois battre par les Barbares. Vos pères ont obtenu des succès que nous ne nous serions (n'aurions) point imaginé qu'ils eussent obtenus si (aussi) facilement. Leurs descendants se les sont (s'en sont) rappelés et se les (s'en) rappelleront toujours. Ne craignez rien, nations européennes qui avez conquis la paix et qui en jouissez (conquis et qui jouissez de la paix), espérez avec confiance que les Français auront toujours ce courage, cette valeur, cette intrépidité qui a (ont) bravé et rompu l'impétuosité des Huns et des Sarrasins (huns et sarrasins).

A. Gouzien, *Dictées françaises faisant suite à la nouvelle Grammaire française*, 1873

Les dictées sont des déclarations d'amour aux grands hommes. De leurs amples statures, ils couvrent l'étendue de tous les champs de bataille : artistes, savants, religieux, explorateurs. Toutefois, la place d'honneur est réservée aux chefs de guerre. Quelques mercenaires accompagnent cette armée de géants pour exposer des destins édifiants. Elle magnifie le sentiment national et, à l'occasion, rappelle que « les noms de famille prennent la majuscule ».

1. Christophe Colomb a découvert l'Amérique. Napoléon Bonaparte a été successivement officier d'artillerie, général, premier consul, empereur. Pierre Corneille et Thomas Corneille son frère naquirent à Rouen.

2. Jean-Baptiste Vianney, curé d'Ars, est mort en odeur de sainteté. Saint Louis de Gonzague est le patron de la jeunesse. Saint François de Sales fut un parfait modèle de douceur.

3. Parmentier importa en France la culture de la pomme de terre. Le musée de Versailles possède plusieurs tableaux d'Horace Vernet, qui sont des chefs-d'œuvre.

4. *Les maréchaux ou les généraux de Napoléon[er] qui sont le plus souvent cités dans l'histoire sont : Kléber, Masséna, Murat, Oudinot, Ney, Lefebvre, Lannes, Soult, Suchet, Victor, Macdonald, Marmont, Davoust, Bernadotte, Berthier, Eugène de Beauharnais, Desaix, Drouot, Rapp, Bertrand...*

5. *Les noms de famille prennent la majuscule. J'écrirai donc avec une grande lettre : Bonaparte, Kléber, Suchet, Pélissier, Parmentier, Vernet...*

F. P. Bransiet, *Cours élémentaire d'orthographe ou dictées et exercices préparatoires au cours intermédiaire ou de première année, livre de l'élève*, 1869

Puisqu'ils ont contribué à la grandeur de la France, les héros des dictées ont leur panthéon dans les manuels scolaires : aux grands hommes, la dictée reconnaissante. Ici, la hiérarchie n'est pas de mise et la gloire nationale, voire nationaliste et patriotique, prend le pas sur la cohérence historique. Parfois la dictée devient une trousse fourre-tout où se retrouvent pêle-mêle, dans un gai méli-mélo, Louis XIV, Napoléon et Gutenberg.

Il n'y a pas un roi de France qui ait vécu jusqu'à l'âge de quatre-vingts ans.

J. Louis fonda l'hospice des Quinze-Vingts pour trois cents gentilshommes à qui les Sarrasins avaient fait crever les yeux.

Moscou est à six cents lieues de Paris.

Napoléon vainquit les Autrichiens à Marengo en mil huit cent.

C'est de l'année mil quatre cent quarante que date l'invention de l'imprimerie.

Cent familles, possédant chacune dix mille francs, sont plus utiles qu'une seule qui possède un million.

M.-A. Peigné, *Éléments de la grammaire française par Lhomond*, 1836

Qui sont ces héros qui sifflent sur les têtes des écoliers ? Tout d'abord, il y a les grandes figures venues de l'Antiquité ou du Moyen Âge, aux noms qui claquent comme des étendards de la Victoire éternelle. Sans que l'on sache très bien ce qu'ils ont fait, ils évoquent le combat de la France pour son indépendance et son honneur. La France du Second Empire impose la figure de Vercingétorix comme symbole national. En 1865, Napoléon III écrit l'*Histoire de Jules César* et fait placer la monumentale statue de cet obscur guerrier gaulois sur le site supposé d'Alésia. Pierre Larousse, quant à lui, dans son journal *L'École normale. Journal de l'enseignement pratique*, contribue à la fabrication du héros chevaleresque. À défaut de Thierry la Fronde, contre le déclin de la France, c'est Du Guesclin qui fait rêver le petit Français du cours élémentaire.

Bertrand Duguesclin

Nous renonçons à vous faire connaître tous les traits de courage qu'on raconte de lui ; l'histoire en serait si longue qu'elle empiéterait sur nos autres études. En voici cependant quelques-uns : les Anglais assiégeaient la ville de Rennes. Duguesclin, lui, projette d'y entrer pour la défendre ; mais pour y pénétrer, il faut traverser d'un bout à l'autre le camp des Anglais. Un matin, avant le lever du soleil, il accourt avec cent hommes déterminés, se jette sur les gardiens du camp, met le feu aux tentes, renverse tous ceux qui essayent de l'arrêter, emmène deux cents chariots chargés de vivres et entre avec ce convoi dans la ville avant que les Anglais stupéfaits eussent bien compris ce dont il s'agissait. Le roi Charles V, qu'on appelle aussi Charles le Sage à cause de la prudence et de la sagesse avec lesquelles il dirigea les affaires peu florissantes du royaume, donna à Bertrand Duguesclin la charge de grand connétable de France, c'est-à-dire qu'il le fit général de toutes ses armées. Dès ce moment, les Anglais, qui s'avançaient déjà sur Paris, furent partout repoussés.

L'École normale. *Journal de l'enseignement pratique*, 23 décembre 1860

Vercingétorix, Du Guesclin, Turenne, Henri IV, son panache blanc, se font la guerre en dictée. Voilà qui est pratique dans une France pétrie de valeurs militaires. Dans cette histoire guerrière, les petites écolières ne sont pas oubliées.

Le musée d'Artillerie

Les petits garçons ont toujours aimé les armes ; être déguisés en soldats est leur bonheur. Cette ardeur belliqueuse est la bien venue au musée d'artillerie, où sont réunies toutes les armes depuis la fondation de la monarchie française. Pour les petites demoiselles, l'armure de Jeanne d'Arc nous amènera à parler de la pauvre héroïne ; donc, chacun aura sa part de plaisir.

L. Debierne-Rey, *Dictées de l'enfance*, 1875

La figure incandescente de Jeanne d'Arc porte en elle tous les paradoxes de l'école républicaine. En 1841, Jules Michelet la sort des flammes pour en faire une héroïne populaire et laïque. En 1869, monseigneur Dupanloup la récupère avec le désir de transformer ses cendres en saintes reliques. L'affaire n'est pas si simple : ce n'est qu'en 1909 que Jeanne d'Arc devient béate, enfin sainte en 1920. Elle reflète la lutte entre une France fille aînée de l'Église et une France issue de la Révolution, entre l'école religieuse et l'école laïque.

Mort de Jeanne d'Arc

Alors Jeanne a dit au roi : « Ma mission est achevée, l'heure est venue de retourner à ma chaumière, » et elle a voulu se retirer. Le roi malgré elle l'a retenue, et la pauvre fille, toujours brave, guerroya encore quelque temps, mais fut prise à Compiègne, faite prisonnière, chargée de fer, jugée, condamnée à être brûlée comme sorcière... Et le bûcher fut allumé, et la pauvre Jeanne fut brûlée vive.

Chers petits, vous êtes émus, mais retenez bien que Jeanne est morte comme les saintes, comme les martyrs, comme les héros, les yeux levés vers le ciel, le crucifix pressé entre les bras et appuyé sur son cœur, et les dernières paroles que les bourreaux ont entendues furent : « Dieu et la France ! »

L. Debierne-Rey, *Dictées de l'enfance*, 1875

Plus qu'une héroïne, Jeanne d'Arc est un héros. Dans les années folles, la joueuse Suzanne Lenglen est qualifiée de « champion de tennis », Jeanne d'Arc est LE vainqueur des Anglais, LE sauveur de la France. À côté du héros lointain se trouve celui qui domine tout le XIXe siècle : Napoléon, le sauveur ultime. À la fois pacificateur et guerrier, législateur et glorieux, il est immanquable dans les dictées. L'épopée napoléonienne fait rêver les jeunes garçons qui se demandent si, à l'école de Brienne, le petit Bonaparte était bon en dictée.

Bonaparte au Saint-Bernard

Le général Bonaparte se mit en marche pour traverser le col le 20 mai 1800, avant le jour. Son aide de camp et son secrétaire l'accompagnaient. Les arts l'ont dépeint franchissant les Alpes sur un cheval fougueux ; voici la simple vérité. Il gravit le Saint-Bernard monté sur un mulet, revêtu de cette enveloppe grise qu'il a toujours portée, conduit par un guide du pays, montrant dans les passages difficiles la distraction d'esprit occupé ailleurs, entretenant les officiers répandus sur la route, et puis, par intervalles, interrogeant le conducteur qui l'accompagnait, se faisant conter sa vie, ses plaisirs, ses peines, comme un voyageur oisif qui n'a pas mieux à faire. Ce conducteur, qui était tout jeune, lui exposa naïvement les particularités de son obscure existence, et surtout le chagrin qu'il éprouvait de ne pouvoir, faute d'un peu d'aisance, épouser l'une des filles de cette vallée. Le premier Consul, tantôt l'écoutant, tantôt questionnant les passants dont la montagne était remplie, parvint à l'hospice, où les bons religieux le reçurent avec empressement. À peine descendu de sa monture, il écrivit un billet qu'il confia à son guide, en lui recommandant de le remettre exactement à l'administrateur de l'armée, resté de l'autre côté du Saint-Bernard. Le soir, le jeune homme, retourné à Saint-Pierre, apprit avec surprise quel puissant voyageur il avait conduit le matin, et sut que le général Bonaparte lui faisait donner un champ, une maison, les moyens de se marier enfin, et de réaliser tous les rêves de sa modeste ambition. Ce montagnard vient de mourir de nos jours, dans son pays, propriétaire du champ que le dominateur du monde lui avait donné. (Adolphe Thiers)

C. Juranville, *Dictées curieuses*, Larousse, 1896

Jusque l'entre-deux-guerres, les écoliers étaient élevés aux héros des dictées. Gare aux zéros qui seraient une faute de liaison. Ensuite, où sont donc les héros ? Où est donc passé Ornicar ? Le traumatisme de la Grande Guerre blesse la ferveur patriotique. L'Allemagne nazie et l'Italie fasciste sont confrontées à l'avènement d'hommes « providentiels » ; en France, la dictée républicaine se méfie du héros, du sauveur. Elle préfère les anonymes, comme dans l'histoire du charbonnier et du gentilhomme :

Carlo Nobis est fier parce que son père est noble et riche. M. Nobis, assez grand, ayant l'air sérieux et

31

distingué, porte toute sa barbe, une belle barbe noire, et accompagne presque tous les jours son fils à l'école.

Hier matin, Nobis s'était querellé avec Betti – un des plus petits, le fils du charbonnier, – et ne sachant que lui dire, parce qu'il se sentait dans son tort, il s'écria : « Ton père n'est qu'un gueux ! » Betti rougit jusqu'aux cheveux, ne répondit rien ; mais ses yeux se remplirent de larmes. En allant déjeuner chez lui, il répéta à son père ce qu'avait dit Nobis. Aussi après le repas, voilà le père de Betti, un petit homme tout noir, qui vient se plaindre à l'instituteur. Pendant qu'il exposait sa plainte, au milieu d'un grand silence, le père de Nobis, qui aidait comme d'habitude son fils à enlever son pardessus à la porte, entendit le charbonnier prononcer son nom. Il entra pour voir ce dont il s'agissait. (Edmondo de Amicis, Grands Cœurs)

L. Dumas, *Le Livre unique de français*, 1928

La rivalité de Nobis et de Betti se termine par une réconciliation organisée par leurs pères : *Je te demande pardon, du mot injurieux que j'ai prononcé contre ton père auquel le mien est fier de serrer la main.* Instituteur dans le Sud-Ouest, Michel Jeury se souvient de son émotion d'écolier quand il lisait ce texte : « Lorsque j'avais douze ans, mes yeux s'embuaient presque à chaque fois que j'atteignais ce sublime mouvement de pardon. » Plus tard, Michel Jeury éprouve une émotion semblable quand il fait découvrir ce texte à ses élèves. Il a « la gorge un peu rauque » et se met à pleurer « comme jadis ». Le héros de l'entre-deux-guerres ne veut pas le pouvoir pour lui tout seul. Au moment où les nations tentent de s'unir, il porte la paix, la réconciliation, malgré quelques pièges de grammaire. S'il est aventurier, c'est pour la science et non pour la conquête. Au début des années 1950, Alain Bombard est le spécialiste volontaire des naufrages solitaires. Ses exploits deviennent dictée pour le certificat d'études, dans la Drôme.

Seul dans l'océan

J'allume ma torche et la surface de la mer s'illumine, immédiatement, autour du jet lumineux se concentrent les poissons... Brutalement, un choc me force à m'appuyer sur le rebord du bateau. C'est un requin, un grand requin dont la partie supérieure de la queue est beaucoup plus grande que la partie inférieure. Il s'est retourné sur le dos pour venir vers moi. Toutes ses dents luisent sous la lumière électrique ; son ventre est blanc. À coups de museau répétés, il vient maintenant heurter le canot. A-t-il voulu mordre à ce moment-là ? Je ne sais pas : on m'a toujours dit que les requins se retournaient pour prendre une proie. Ce que je puis affirmer c'est que ma peur fut grande. (Alain Bombard, *Naufragé volontaire*)

Annales du certificat d'études primaires, 1982

Tandis que les Drômois déroutés relisent leurs copies une ultime fois, les requins guettent en souriant Alain Bombard au milieu de l'immensité marine : il est donc un héros. Puisqu'il est désormais possible d'améliorer le monde sans provoquer la guerre, l'homme du quotidien confronté aux catastrophes qui le dépassent devient un héros en y faisant face. En 1987, dans l'académie de Versailles, c'est un texte vieux de quarante ans qui sert de dictée pour le brevet des collèges, à la session de septembre. Le héros est le médecin d'une ville dans un des trois départements français d'Algérie. Il n'a pas l'aura de Louis Pasteur ni l'éloquence de Victor Hugo. Il est juste un médecin luttant contre l'épidémie de peste qui s'est déclarée à Oran. Face à l'horreur et à la peur, le docteur Rieux prend le temps d'aller se baigner mais lui ne craint pas les requins !

Ils se déshabillèrent. Rieux plongea le premier. Froides d'abord, les eaux lui parurent tièdes quand il remonta. Au bout de quelques brasses, il savait que la mer, ce soir-là, était tiède, de la tiédeur des mers d'automne qui reprennent à la terre la chaleur emmagasinée pendant de longs mois. Il nageait régulièrement. Le battement de ses pieds laissait derrière lui un bouillonnement d'écume, l'eau fuyait le long de ses bras pour se coller à ses jambes. Un lourd clapotement lui apprit que Tarrou avait plongé. Rieux se mit sur le dos et se tint immobile, face au ciel renversé, plein de lune et d'étoiles. Il respira longuement. Puis il perçut de plus en plus distinctement un bruit d'eau battue, étrangement clair dans le silence et la solitude de la nuit. Tarrou se rapprochait. [...] Rieux se retourna, se mit au niveau de son ami, et nagea dans le même rythme. Tarrou avançait avec plus de puissance que lui et il dut précipiter son allure. Pendant quelques minutes, ils avancèrent avec la même cadence et la même vigueur, solitaires, loin du monde, libérés enfin de la ville et de la peste. (Albert Camus, La Peste)

Annales du brevet, 1988

Rutilant comme une médaille, le héros des dictées se fait moins guerrier et moins nationaliste. Il est devenu pacifiste, humain. Le héros n'est plus le modèle inaccessible dont l'écolier admire les exploits et les vertus. Disons qu'il s'est démocratisé. Pourtant, parfois, le héros des anciennes dictées ressurgit dans le but de reconquérir sa place. Ainsi, cet opportuniste de Napoléon a profité du bicentenaire de Waterloo afin de revenir dans la dictée. Étrange ambition de celui qui était réputé pour son orthographe fantaisiste et qui a passé sa vie à dicter ses ordres et sa correspondance.

Dans les premières années du dix-neuvième siècle, l'épopée napoléonienne prolongea le rêve révolutionnaire. La société était restée figée pendant des siècles et on l'avait soudain vue changer avec l'abolition des privilèges. Puis, les armées se sont levées et les jeunes gens les ont vues suivre l'Empereur. Bien qu'il fût impossible de revenir en arrière, l'année 1815, avec la défaite de Waterloo et le retour de la monarchie, sembla condamner la jeunesse à une vie sans idéal et à une tristesse qu'on appela « le mal du siècle ».

Bled, *600 dictées Collège*, 2015

Désormais bien installés, héros guerrier ou héros de la paix – héraut de la paix ? – sont les personnages principaux du roman national. Ils ont peu à voir avec la vérité historique. Leur invention et leur utilisation dans les dictées sont plus intéressantes que la narration de leurs actes de bravoure. L'école de la dictée n'est pas celle des Annales. La dictée n'est pas faite pour raconter l'histoire même si elle se présente comme telle, de Charles Martel à Napoléon. Ensuite, confrontée aux mouvements du monde, la dictée explique le présent que vivent les enfants.

Dans l'air du temps

Je n'aperçois qu'un p à apercevoir.

Qu'y a-t-il de plus éphémère que la France éternelle ?
La dictée aime ses héros, ses paysages, ses villes et ses
campagnes. Elle fait pourtant écho à l'air du temps.
Durant tout le XIXᵉ siècle, le frère Philippe Bransiet est
un professionnel de la dictée. En 1809, sous Napoléon Iᵉʳ, il réorganise l'Institut des Frères des écoles
chrétiennes, fondé à la fin du XVIIᵉ siècle par Jean-
Baptiste de La Salle, pionnier de l'école pour tous. Le
Frère Philippe en devient le directeur général sous la
monarchie de Juillet. Ses leçons reflètent les attentes
des monarques, chapeautés de la couronne royale ou
impériale. Sous le Second Empire encore, il rappelle
qu'il faut obéir à Dieu et à ses parents. Le souverain
est ravi, lui qui se présente comme le père de la nation.

1. L'élève qui travaille avec courage et constance fait
des progrès et mérite des bons points. Quand j'ai bien
étudié ma leçon, je la récite couramment et sans faute.

2. *Nos parents et nos maîtres sont nos meilleurs amis. Le père qui aime son fils veille sur sa conduite, et le corrige de ses défauts.*

3. *L'innocence est le plus précieux des trésors. La jeunesse est le plus bel âge de la vie.*

4. *Le bon Dieu aime les enfants obéissants et pieux : il veut les récompenser par ses bénédictions en cette vie, et par son paradis en l'autre.*

5. *On emploie une majuscule ou grande lettre au commencement de chaque phrase, de chaque alinéa.*

On met un point après chaque phrase entièrement terminée.

Ainsi, quand j'écrirai une phrase, je la commencerai par une majuscule et je la ferai suivre d'un point.

F. P. Bransiet, *Cours élémentaire d'orthographe*, 1869

En septembre 1870, à Sedan, Napoléon III, dernier monarque à régner en France, est pris dans la toile prussienne. La Troisième République remplace le Second Empire et subit la défaite. Le territoire est amputé de l'Alsace-Lorraine et les dictées se souviennent des horreurs de la guerre. Prenez une feuille, un crayon et sortez vos mouchoirs.

La guerre

Mais lorsque c'est la guerre, oh ! cachez-vous, chérubins, que vos mères vous emportent loin du carnage, ces flots de sang inondant la terre, ces soldats expirant, ces hommes, ces chevaux, fuyant, dégoûtants de sang, tombant, mourant, expirant. Non ! ces tableaux effrayants, ces scènes désolantes ne sont pas pour les enfants, elles font horreur même aux hommes courageux et vaillants !

L. Debierne-Rey, *Dictées de l'enfance*, 1875

La République s'impose peu à peu. Dans les écoles, Dieu est toujours présent, pour quelques années encore. La mission de la dictée a évolué : il est impératif que tous les Français sachent lire et écrire, pas uniquement par philanthropie. Sous le Second Empire, le suffrage avait été déjà universel – masculin cela s'entend – mais il avait été corrompu. Désormais, pour que la démocratie fonctionne, le citoyen doit être à même de s'informer, de critiquer et de s'inscrire sur les registres afin de pouvoir voter. Le savoir, c'est le pouvoir.

Avantages de l'instruction pour l'homme des champs

L'habitant de la campagne qui sait lire, écrire, calculer, dessiner, trace avec sa charrue son sillon plus droit, taille mieux ses arbres, qui poussent davantage, bâtit ou répare sa maison avec plus de solidité et d'économie, sait mieux les méthodes de culture et les soins à donner aux animaux, vend, loue, achète, échange, prête, emprunte et conduit ses affaires avec plus d'ordre, d'économie et de gain. S'il est père de famille, il n'a pas besoin de perdre son temps et son argent pour aller à la ville voisine consulter l'avoué, l'huissier, le notaire, pour faire un simple billet, donner une quittance, rédiger un acte sous seing privé, pour écrire à sa fille ou à son fils absents ; il ne mettra pas non plus des tiers dans la confidence de ses amitiés, de ses secrets et de ses affaires. De plus, en utilisant les secours réunis de la science et de l'expérience et en réalisant des progrès en agriculture, il fera prospérer sa fortune, et se rendra utile à la société. De ce qui précède, il résulte que tous les citoyens ont intérêt à ne pas rester dans l'ignorance, puisque, avec le secours de l'instruction, chacun peut faire ses propres affaires. Combien sont donc blâmables ceux qui, étant illettrés, négligent de profiter des avantages qui leur sont offerts dans les écoles primaires et dans les cours d'adultes ! Ils ne tiennent pas assez compte des sacrifices que s'imposent les communes, ni du zèle, ni du dévouement des instituteurs, et ne répondent pas à la sollicitude de l'administration, ni au vœu du Gouvernement, qui ne désire rien tant que, dans le pays du suffrage universel, chaque citoyen sache lire et écrire son vote.

F. Astier, *Recueil de dictées, leçons et problèmes sur l'agriculture*, 1876

La Patrie souffre de la perte de l'Alsace-Lorraine. La blessure ne cicatrise pas. La République prépare ses enfants à faire la guerre et l'esprit de revanche s'acquiert dès le plus jeune âge, au pas des valeurs militaires. Un jour, il va falloir se battre pour reprendre les territoires volés, ceux qui apparaissent d'une couleur différente sur la grande carte de France, accrochée au mur de la classe. Les candidats au certificat d'études dans le canton de Doulaincourt, en Haute-Marne, le 27 juin 1907, se font dicter leur avenir : demain, c'est la guerre sainte !

La guerre sainte

Lorsque l'étranger pousse ses canons sur la terre maternelle, lorsque le sabot de ses chevaux s'enfonce dans les sillons, lorsque sa torche incendie nos villages, lorsque les monuments de l'art s'écroulent sous ses projectiles, lorsque les femmes meurent par le fer et les enfants par la faim, oui, la guerre pour le foyer, la guerre pour la patrie, la guerre pour l'indépendance devient la guerre sainte. Alors l'arme de meurtre devient l'arme de justice, le glaive est sacré. Et même vaincus ceux qui combattent alors ce fier combat, ceux qui se plantent, fusil en main, devant la frontière forcée comme devant une mère insultée, ceux-là, fussent-ils écrasés, dispersés et battus, méritent la reconnaissance de l'histoire, car, ne pouvant sauver la liberté, ils sauvent du moins l'honneur. (Jules Claretie)

Certificat d'études, canton de
Doulaincourt, Haute-Marne, juin 1907

Les revanchards acharnés ne sont pas seulement les petits guerriers sous les tilleuls quand la cour d'école devient champ de bataille. *Le Tour de France par deux enfants* est le manuel scolaire le plus utilisé pour les lectures courantes. Deux orphelins, Julien et André, chassés par les Prussiens de leur Alsace natale, parcourent le pays. C'est une histoire de garçons mais les filles sont de la partie. À elles aussi de faire l'amour de la Patrie.

Amour de la Patrie

L'amour de la Patrie renferme tout : amour des nôtres, amour du sol que nous sentons nous appartenir, amour des mœurs, des coutumes, de l'indépendance nationale, toutes choses qui font partie de nous comme nous faisons partie d'elles. De tous les sentiments élevés, celui-là est le plus puissant et celui qui a inspiré les actes les plus surhumains.

On a remarqué que les pays pauvres, tristes, déshérités sont peut-être plus fortement aimés de leurs enfants, comme pour prouver que ce n'est pas par ses charmes et sa beauté, mais par elle-même, que la Patrie se fait aimer.

Il faut apprendre à tous que chacun se doit à la Patrie avant de s'appartenir à soi-même. Tous sont responsables de ce qui lui arrive et tous, suivant leurs lumières, sont tenus de travailler constamment à sa prospérité. Il faut l'apprendre surtout aux femmes parce que ce sont elles qui donnent à chaque nation son tempérament moral. (Mme Bentzon)

A. Viales, *La Première Année d'éducation et d'enseignement postscolaires des jeunes filles*, 1911

Dans les dictées républicaines, Paul Bert est mobilisé. Radical et anticlérical, fervent patriote, il est de ceux qui ont transformé les écoles en petites casernes, où les gamins apprennent à manier les armes. Paul Bert ne fut ministre de l'Instruction publique que durant quelques mois, de novembre 1881 à janvier 1882. Il a surtout secondé Jules Ferry dans la mise en place des lois sur l'école laïque, publique et obligatoire. La République prépare ses enfants à la guerre et, au passage, s'étonne elle-même d'avoir changé le monde, en 1911, vingt-cinq ans après la mort de Paul Bert.

Pourquoi nous devons aimer notre Patrie

Si nos ancêtres revenaient, ils ne reconnaîtraient plus leur vieille France, et se demanderaient quels sont ces grands seigneurs qui se promènent partout librement, chassant, pêchant, allant où bon leur semble, travaillant à leur idée et rentrant le soir dans une maison propre, bien bâtie.

Ces seigneurs, ce sont d'anciens ouvriers, d'anciens laboureurs qui se sont enrichis en travaillant. Cette tranquillité, cette égalité nous les devons aux pauvres paysans, écrasés longtemps sous la botte des anciens nobles, à ce bon peuple français, si patient, si courageux, qui a travaillé pour nous et qui a acheté de ses larmes et de son sang cette liberté qui nous rend si heureux et dont nous sommes fiers.

Voilà pourquoi il faut aimer cette terre de France, car c'est la terre où nos pères ont vécu, où ils ont espéré, lutté, souffert pour nous, et où nos enfants vivront après nous pour conserver notre souvenir. (Paul Bert)

A. Viales, *La Première Année d'éducation et d'enseignement postscolaires des jeunes filles*, 1911

Désormais, la République est solidement installée et la France rayonne. Cependant, le pays ne se résigne pas à la perte de l'Alsace-Lorraine. En 1912, les écoliers des Ardennes qui passent leur certificat d'études écrivent à leurs camarades alsaciens.

Camarades, nous savons que vous souffrez d'une grande peine parce que vous êtes séparés de nous ; être séparés de vous, c'est pour nous une grande peine. Si l'on vous dit que nous ne pensons pas à vous, ne le croyez pas. Nos pères ont vécu longtemps ensemble, citoyens d'une même patrie. Ensemble, ils ont appris, dans l'avant-dernier siècle, à croire en la dignité de l'être humain et à aimer la justice et la liberté. C'est chez vous, à Strasbourg, que fut chantée pour la première fois la chanson des peuples libres ou qui veulent se libérer, la Marseillaise. Et la Révolution, achevant l'œuvre de nos rois, a fait des Alsaciens de vrais Français, patriotes entre tous, parce qu'ils étaient aux bords du Rhin, l'avant-garde de la France. Si l'on vous dit que nous oublions de pareils souvenirs, ne le croyez pas.

Certificat d'études, Ardennes, 1912

Ah, la voilà enfin, la guerre. La Grande, la terrible. L'heure de la revanche a sonné. La guerre ne va pas durer trop longtemps et papa sera de retour pour Noël. Très vite, l'enfant comprend que l'attente va être longue, peut-être même que papa ne reviendra pas. La dictée fait alors de son mieux pour rassurer et elle présente la vie dans les tranchées à l'image d'un camp de vacances.

Vie de tranchée

Aux heures tranquilles, on cause, on écrit. Il y a dans la tranchée autant d'animation que dans les rues d'une petite ville. On y rencontre tous les métiers : il y a des chanteurs qui disent des chansonnettes, d'autres préparent pour le dimanche une petite comédie ; il y a des photographes, des séances de cinéma. Il y a souvent, dans un abri bien clos, un autel où l'on dit la messe. L'installation n'est pas toujours bien confortable ; mais il y a la décence. Quelquefois un peintre a dessiné de son mieux une belle image de la Vierge ; on chante le Credo et nous avons tout ce qu'il y a dans les plus belles basiliques, puisqu'il y a Dieu avec nous.

L'École et la famille. Journal d'éducation, d'instruction et de récréation, 1er et 15 août 1917

Les enfants ne sont pas dupes, ils sentent l'horreur d'une guerre qui devait être courte mais qui dure. La fleur au fusil a fané. En 1917, l'entrée en guerre des États-Unis au côté de la France fait renaître l'espoir d'une victoire rapide. L'Allemagne faiblit. Les écoliers accueillent Ernest Lavisse, l'auteur des manuels d'histoire, dans leurs dictées. Si la guerre n'est pas finie, l'historien prépare les esprits à conserver la mémoire.

À nos soldats

Chers enfants de la France, vous serez vieux un jour, et comme les vieux vous aimerez à vous souvenir des temps passés. Après que les enfants seront allés dormir, vous ouvrirez un tiroir où vous aurez rassemblé de précieux objets : une balle extraite d'une blessure, un morceau d'obus, un linge où votre sang aura pâli, une croix d'honneur, j'espère, ou une médaille militaire, à tout le moins, une médaille de la guerre de 1914, au ruban de laquelle des agrafes d'argent porteront des noms de batailles immortelles. Et quelle qu'ait été votre vie, heureuse ou malheureuse, vous pourrez dire : j'ai vécu de grandes journées, telles que l'histoire des hommes n'en avait pas encore vu. (Ernest Lavisse)

L'École et la famille. Journal d'éducation, d'instruction et de récréation, 1er et 15 août 1917

Dès août 1914, le territoire de Thann, dans le Haut-Rhin, avait été un des premiers à être libérés quand le reste de l'Alsace demeurait occupé. La tenue de l'examen du certificat d'études en juillet 1918 est un signe fort et anticipe la victoire française.

Le vieux drapeau

Il était une fois un drapeau tricolore qui avait été caché pendant de longues années au fond d'une armoire d'Alsace. Il s'ennuyait de ne plus flotter à la fenêtre, comme autrefois, et il vieillissait tristement, car il craignait de ne plus revoir la lumière du jour. Pourtant, un beau matin, il est sorti de sa cachette, et on l'a déplié. Alors il a vu des soldats, rouges et bleus comme lui, passer dans la rue en chantant, et d'autres drapeaux pareils à lui flotter à toutes les fenêtres ; et avec ses plis usés, ses couleurs fanées, il *ressemblait à un grand-père, qui sourit dans ses rides au milieu de tous ses petits-enfants.*

Certificat d'études aux enfants d'Alsace à Saint-Amarin (Territoire de Thann), 1er juillet 1918, académie de Nancy

La guerre est finie. Elle a duré quatre ans, toute une scolarité. Les écoliers retrouvent leurs papas, certains avec la gueule cassée, d'autres blessés, tous traumatisés et parfois sous la forme d'un nom gravé sur le monument aux morts. L'après-guerre est un monde à reconstruire et les espoirs portent sur la Société des Nations. Les manuels scolaires modèrent leur nationalisme qui avait conduit au carnage. Pourtant, à l'heure de la paix, quelques dictées conservent un réflexe guerrier qui associe de nouveau fleur et fusil.

Quand je serai grand, je serai soldat, je servirai la France. Quand nous serons grands, nous serons soldats, nous servirons la France.

S'il faisait beau, j'irais au jardin et je cueillerais des fleurs. S'il faisait beau, nous irions au jardin et nous cueillerions des fleurs.

A. Mironneau, *La Grammaire par les textes et par l'usage*, 1929

Le vocabulaire militaire est familier aux enfants : chasseurs, fantassins, artilleurs, tirailleurs. Sans doute ne sont-ils pas surpris quand revient le temps des combats. Le maréchal que voilà, portraituré dans la salle de classe, se méfie des instituteurs, trop souvent laïcards et parfois communistes. Dans la France de Vichy, c'est Victor Hugo, gloire nationale fédératrice, qui est appelé à faire don de sa personne pour le certificat d'études en Bretagne de juillet 1942. Il est bien entendu question de travail, de famille et de patrie.

Voulez-vous n'être jamais tout à fait malheureux ? Il ne faut pour cela que deux choses très simples : aimer et travailler.

Oui, aimez bien qui vous aime ; aimez aujourd'hui vos parents, votre mère, ce qui vous apprendra à aimer votre patrie, la France, notre mère à tous.

Et puis, travaillez. Pour le présent, vous travaillez à vous instruire, à devenir des hommes. Quand vous avez bien travaillé et que vous avez contenté vos maîtres, est-ce que vous n'êtes pas plus légers, plus dispos ? Est-ce que vous ne jouez pas avec plus d'entrain ? C'est toujours ainsi : quand la conscience est satisfaite et que le cœur est content, on ne peut pas être entièrement malheureux. (Victor Hugo)

Épreuve du certificat d'études de 1942
(Finistère)

La victoire sur l'Allemagne nazie et ses barbaries oblige à fonder un monde nouveau. Les petits Français regardent le pays se reconstruire. L'avenir est porteur d'espoir. Si les écoliers veulent oublier l'expérience de la guerre, les dictées sont là pour la leur rappeler, comme au certificat d'études à Marseille, en juin 1954.

Dans les ruines d'une ville bombardée

Les quartiers du centre et de la gare étaient anéantis. La population se reprenait à vivre. On sortait des caves, on courait voir l'incendie et la dévastation. La ville était pleine de fumée, de vapeur et de l'énorme poussière rouge des écroulements. Vers la gare et le théâtre, on distinguait maintenant un vaste espace libre comme un champ de bataille, où, çà et là, de grands squelettes noirs de pierre et de fer s'élevaient, sinistres, avec leurs fenêtres ouvertes sur le vide et l'incendie... Des pompiers de fortune faisaient la chaîne. Et l'on découvrait tout à coup sous le casque le visage noirci d'un ami.

Recueil de 100 examens complets proposés au C.E.P.E. 1954. Livre du maître, 1954

Après la joie de la Libération, les années d'après-guerre ne sont pas pour autant sereines. La guerre froide crée des frayeurs atomiques. Les conflits se poursuivent, en Indochine et en Algérie. En attendant le Sauveur gaullien, qui vous a compris, les dictées continuent de faire l'éloge de la Patrie, au moment où l'empire colonial disparaît.

La patrie

Mes amis, ce n'est pas seulement votre plaine ou votre coteau, la flèche élancée de votre clocher, ou la cime verdoyante de vos arbres, ou les chansons monotones de vos pâtres. La patrie, c'est ce qui parle notre belle langue ; c'est ce qui fait battre nos cœurs, c'est l'unité de notre territoire et de notre indépendance, c'est la gloire de nos pères, c'est la communauté du nom français, c'est la grandeur de la liberté. La patrie, c'est l'azur de notre ciel bleu, c'est le doux soleil qui nous éclaire, les beaux fleuves qui nous arrosent, les vertes forêts qui nous ombragent et les terres fertiles qui s'étendent sous nos pas. La patrie, c'est l'ensemble de nos concitoyens, grands ou petits, riches ou pauvres. La patrie, c'est la nation que vous devez aimer, honorer, servir et défendre de toutes les facultés de votre intelligence, de toutes les forces de vos bras, de toute l'énergie et de tout l'amour de votre âme. (Cormenin)

J. Laleuf, *Recueil de dictées*, 1958

Le patriotisme guerrier et le nationalisme des dictées avaient conduit à la guerre. Désormais, l'Europe se construit dans la paix, avec une communauté. Les tensions n'ont pas disparu bien sûr, mais elles sont apaisées par le dialogue. Au CP et au CE1, on écrit la CEE et voilà l'occasion, au certificat d'études dans le Calvados, en 1977, d'une bonne dictée austère sur la politique communautaire, dans laquelle l'instituteur peut partir à la pêche aux fautes !

Le problème des eaux territoriales

Le 14 février dernier, le Conseil des ministres des Neuf avait arrêté un certain nombre de mesures communautaires destinées à assurer la conservation des ressources de pêche. Les Irlandais, dès le lendemain, avaient annoncé leur intention de compléter le programme communautaire par des mesures nationales : ils voulaient interdire à compter du 1er mars les eaux entourant les côtes aux navires de plus de trente-trois mètres. En fait, l'Irlande possède très peu d'unités de plus de trente mètres. C'étaient essentiellement les Britanniques, les Allemands et les Français qui auraient été affectés par cette mesure nationale. En tête des ports français les plus touchés figurent Lorient et Boulogne. La Commission européenne avait immédiatement fait savoir au gouvernement Irlandais [sic] qu'elle considérait ces mesures comme non conformes à l'esprit des décisions. Les Irlandais se sont inclinés au moins provisoirement.

D'après le journal *Ouest-France* du 1er mars 1977. Donné dans le Calvados, *Certificat d'études primaires. Livre du maître*, Annales Vuibert, 1977

Revancharde, nationaliste, guerrière, la dictée devient pacifiste. Elle encense toujours la France. En 2014, elle reprend les échos gaulliens d'une patrie résistante pour évoquer la Seconde Guerre mondiale.

Beaucoup parmi les gens de la résistance passent la plupart de leur temps dans les trains. On ne peut rien confier au téléphone, au télégraphe, aux lettres. Tout courrier doit être porté. Toute confidence, tout contact exigent un déplacement. Et il y a les distributions d'armes, de journaux, de postes émetteurs, de matériel de sabotage. Ce qui explique la nécessité d'une armée d'agents de liaison qui tournent à travers la France comme des chevaux de manège. Ce qui explique aussi les coups terribles qui les atteignent. L'ennemi sait aussi bien que nous l'obligation où nous sommes de voyager sans cesse. (Joseph Kessel, L'Armée des ombres)

Brevet, 2014

La dictée n'est jamais ouvertement politique. Elle reflète toutefois l'air du temps et la manière dont les dirigeants veulent former la jeunesse. La dictée œuvre à la propagande, avec ses pleins et ses déliés.

La dictée, c'est la France des provinces et des départements, avec ses paysages et ses richesses !

Idylles et bucoliques

Abaco soutra vanviem
Les noms en -ail ont un pluriel en -ails
sauf : ail, bail, corail, soupirail, travail,
vantail, vitrail, émail.

Entre la dictée et le beau pays de France, c'est le Grand Amour, avec grand G et A majuscule. Nous sommes loin des feux de la passion, non, cet amour-là est solide, vrai, durable, idyllique. Il est un des thèmes les plus abordés dans les manuels d'orthographe et ce à toutes les époques. À l'instituteur béat de transmettre aux élèves l'amour de la « Douce France », cher pays de notre enfance...

Ta patrie, mon enfant, est une patrie bonne et heureuse. La vie y est facile et douce. Pour aucun pays, la nature n'a été plus prodigue de bienfaits. Tu te souviens de Marie Stuart, qui avait été un moment reine de France, il y a de cela trois cents ans environ. À l'heure où elle s'embarquait pour aller régner sur l'Écosse, ses yeux ne pouvaient quitter sans larmes cette terre fortunée ; tandis que le bateau l'emportait, elle adressait un adieu touchant au plaisant pays de France.

Plaisant pays, tel est bien son vrai nom. La lumière y est belle, la végétation magnifique. Quand on a un peu couru le monde et qu'on revient en France, on s'étonne d'avoir été chercher si loin tant de beautés qui ne valaient pas celles que l'on avait sous la main. (Charles Bigot)

Certificat d'études, juillet 1908, Yvetot

L'amour de la douce France est sans jalousie : il se partage. Il ne meurt ni ne flétrit jamais : il est immarcescible et parfumé comme les forêts des Vosges.

À droite, à gauche, ce ne sont que sapins. La rivière court, capricieuse parfois, à travers un tapis d'herbe où paissent les bêtes ; elle sort, ruisseau cascadant, des flancs du Donon, montagne jadis sacrée au sommet de laquelle on a relevé un temple de ses ruines. Cette petite rivière ne se contente pas de féconder les prés et les champs ; car elle actionne, sur les pentes mêmes du Donon, des scieries auxquelles, dans la vallée, succèdent trente autres scieries. Il faut entrer dans ces modestes hangars où les troncs sombres, amenés de la montagne, se débitent, dans une seule journée, en centaines de planches claires ; les pieds dans la sciure blanche, fraîche, odorante, on regarde sans se lasser le travail de l'artisan qui surveille et règle l'opération. (Louis Madelin, Les Vosges)

Certificat d'études, 1955

Au-delà des frontières de son cahier, le jeune écolier découvre la beauté et la variété des pays de France. En 1900, partir en vacances reste exceptionnel. Heureusement l'instituteur est là pour amener en une classe verte imaginaire. Les écoliers partent découvrir la belle Bretagne, à condition, naturellement, qu'ils ne soient pas trop anxieux de leur examen !

Celui qui désire voir la Bretagne dans sa beauté doit la parcourir au commencement du mois de la paille blanche. Les champs ont encore presque partout leur couronne de blés noirs, de trèfles roses et de solanées en fleurs ; les chemins retentissent des chants des moissonneurs qui passent, la faucille sur le bras ou le fléau sur l'épaule : de toutes les ouvertures de haies surgissent des charrettes chargées de gerbes, conduites par les vieillards, et sur lesquelles des enfants gazouillent comme des nichées de jeunes oiseaux. Des deux côtés, au fond des chemins creux, ce ne sont que chants de fauvettes, bruissements de sources, frémissements de feuilles, tandis que plus loin, à l'horizon, retentissent les rumeurs cadencées des batteries, les cornes d'avertissement qui appellent aux repas, les sonnettes des attelages, les cris joyeux des jeunes pâtres revenant des prairies ; et que, sur tout cela, brille notre doux soleil d'été, flamme sans aiguillon, lumineuse tiédeur qui vous pénètre sans que vous la sentiez. (Émile Souvestre)

Revue de l'enseignement primaire, juillet 1909

Que ceux d'entre nous qui ne se sont jamais intéressés à la culture des pommes de terre et des topinambours tremblent : « Expliquer le mot *solanées* » est la première question de l'examen accompagnant la dictée. Ces solanées ont beau être en fleurs, ce mot claque comme une insulte : « Oh, solanées ! Fada, va ! Bigoudène ! » Plus chanceux, les candidats de 1959 dans le Lot-et-Garonne découvrent la Provence.

Il était bien joli ce chemin de Provence. Il se promenait entre deux murailles de pierres cuites par le soleil, au bord desquelles se penchaient vers nous de larges feuilles de figuier, des buissons de clématites et des oliviers centenaires. Au pied des murs, une bordure d'herbes folles et de ronces prouvait que le zèle du cantonnier était moins large que le chemin.

J'entendais chanter les cigales, et sur le mur couleur de miel, des larmeuses immobiles, la bouche ouverte, buvaient le soleil. C'étaient de petits lézards gris qui avaient le brillant de la plombagine. Paul leur fit aussitôt la chasse, mais il ne rapporta que des queues frétillantes. Notre père nous expliqua que ces charmantes bestioles les abandonnent volontiers, comme ces voleurs qui laissent leur veston entre les mains de la police. (Marcel Pagnol)

Certificat d'études, 1959, Lot-et-Garonne

Bien avant le tourisme de masse, les petits Français partent en vacances depuis la salle de classe. Alléchantes brochures touristiques, les dictées font l'apologie des terroirs et des spécialités locales : le bon fromage de montagne, la galette de Bretagne et les quelque deux cents cépages de nos pays.

Si les pauvres vieux qui, depuis cinquante ans, ont, avec tant de sagesse et de prévoyance, mis de côté ces bons vins, s'ils revenaient, je suis sûr qu'ils seraient contents de me voir suivre leur exemple, et qu'ils me trouveraient digne de leur avoir succédé dans ce bas monde. Oui, tous seraient contents ! car ces trois rayons-là c'est moi-même qui les ai remplis, et, j'ose dire, avec discernement : j'ai toujours eu soin de me transporter moi-même dans la vigne et de traiter avec les vignerons en face de la cuvée. Et, pour les soins de la cave, je ne me suis pas épargné non plus. Aussi, ces vins-là, s'ils sont plus jeunes que les autres, ne sont pas d'une qualité inférieure ; ils vieilliront et remplaceront dignement les anciens. C'est ainsi que se maintiennent les bonnes traditions, et qu'il y a toujours, non seulement du bon, mais du meilleur dans les mêmes familles. (Erckmann-Chatrian)

Certificat d'études, Mauguio (Hérault), 1907

Il faut parfois lire entre les lignes : lorsque la terre n'est ni belle ni accueillante, lorsque la nature est hostile, elle se pare de l'adjectif *sauvage* et d'un riche passé. Mystérieuse, elle se mérite : il faut de la patience pour accéder à ses trésors. En dernier recours, reste le plaisir proustien des noms de pays.

A ne considérer que les plateaux, la physionomie ne changerait guère entre le Valois et le Soissonnais. Dans l'un et dans l'autre cas, la dureté de la roche a façonné la surface en vastes plates-formes. Sur le limon roux qui les recouvre, le blé et la betterave trouvent un sol à souhait. Mais l'eau n'existe qu'à une grande profondeur ; et les villages, dont les noms s'accompagnent parfois d'épithètes significatives, ont-ils dû presque exclusivement choisir leur site au bord des vallées, sur les corniches entaillées dans l'épaisseur des plateaux. (Ernest Lavisse, Histoire de France)

Certificat d'études, Braine, 14 juin 1909

Voilà l'exception qui confirme la règle : par le biais de l'évocation des paysages, les dictées font l'éloge de la différence, des particularismes, pourvu qu'ils soient régionaux et, il faut l'avouer, champêtres. Parmi les provinces, n'oublions pas que l'Algérie fut française avant même Nice et la Savoie. Il y a vraiment tout, en France, même l'exotisme et le chauvinisme dont se moque – espérons ! – Alphonse Daudet.

Tartarin de Tarascon avait cru de son devoir, allant en Algérie, de prendre le costume algérien. Large pantalon bouffant en toile blanche, petite veste collante à boutons de métal, deux pieds de ceinture rouge autour de l'estomac, le cou nu ; sur sa tête une gigantesque chéchia et un flot bleu d'une longueur...

Avec cela, deux lourds fusils, un sur chaque épaule, un grand couteau de chasse à la ceinture, sur le ventre une cartouchière, sur la hanche un revolver se balançant dans sa poche de cuir. C'est tout.

M. Holot, *Cent dictées données au certificat d'études primaires (conformes au nouveau programme de 1938)*, 1940

Le tourisme orthographique est apparu. Ici il propose la visite, en car, du pluriel des adjectifs qualificatifs en *-al* et en *-eau*.

Deux cars spéciaux emmènent les touristes matinaux. Leurs yeux curieux observent des paysages nouveaux. La visite du vieux château féodal aux immenses murs verticaux est très intéressante. On achète des souvenirs régionaux et des cartes postales, puis les voyageurs heureux repartent.

G. Galichet, G. Mondouaud, *Je découvre la grammaire et l'orthographe*, 1963

Ce tour des Gaules en dictée se pratique en toute saison, printemps, été, automne, hiver, quelles que soient les intempéries orthographiques.

Les saisons

Je me dis : « Voilà le coucou qui chante : c'est le mois de mars, et nous allons avoir du chaud ; voilà le merle qui siffle : c'est le mois d'avril ; voilà le rossignol : c'est le mois de mai ; voilà le hanneton : c'est la Saint-Jean ; voilà la cigale : c'est le mois d'août ; voilà la grive : c'est la vendange, le raisin est mûr ; voilà la bergeronnette, voilà les corneilles : c'est l'hiver. » (Alphonse de Lamartine)

L'École et la famille. Journal d'éducation, d'instruction et de récréation, 1er et 15 septembre 1937

Il faut être auspice, poète ou paysan pour reconnaître l'hiver au vol des corneilles, mais la neige, elle, est un signe qui ne trompe pas. Elle est un *topos* des dictées. Il n'y a plus de saison, mais il y aura toujours, dans les manuels de dictées, des batailles de boules de neige, même pour les candidats au brevet de l'académie d'Afrique. Là encore, la dictée se fait exotique mais cette fois pour les candidats des tropiques.

On transporta l'élève dans la loge du concierge où la concierge qui était une brave femme le lava et tenta de le faire revenir à lui.

Dargelos était debout dans la porte. Derrière la porte se pressaient des têtes curieuses. Gérard pleurait et tenait les mains de son ami. [...]

Le censeur voulait accompagner le malade. Il avait déjà fait chercher une voiture qui les attendait lorsque Gérard prétendit que c'était inutile, que la présence du censeur inquiéterait beaucoup la famille et qu'il se chargeait, lui, de ramener le malade à la maison.

Du reste, ajouta-t-il, regardez, Paul reprend des forces.

Le censeur ne tenait pas outre mesure à cette promenade. Il neigeait. L'élève habitait rue Montmartre.

Il surveilla la mise en voiture et comme il vit que le jeune Gérard enveloppait son condisciple avec son propre cache-nez de laine et sa pèlerine, il estima que ses responsabilités étaient à couvert. (Jean Cocteau, Les Enfants terribles)

Brevet des collèges, 2013

Le printemps est l'occasion de se promener au bois pour en rapporter des bouquets de bonnes notes.

La pâquerette et la primevère rustique émaillent les prés. Dans les bois on rencontre des boutons-d'or et quelques violettes bien cachées sous leurs feuilles. Les haies d'aubépine et de genêt vont bientôt fleurir.

Revue de l'enseignement primaire, mai 1909

Pas question de musarder pour autant : les écoliers sont sommés de donner l'étymologie et la couleur de chacune de ces fleurs, avec une certaine licence poétique, ou orthographique, car, malgré tous les changements climatiques, il n'est aucune contrée, à part la France des dictées, où genêts, aubépines, violettes et primevères fleurissent en même temps.

L'été est synonyme de vacances, même pour Bébé.

Texte à étudier, à dicter et à écrire
Nous sommes en été. C'est bientôt les vacances. Bébé est content : on ne respire plus à l'école. On n'a

plus de goût au travail, ni même au jeu. Le moindre effort vous fatigue et vous met en sueur.

Revue de l'enseignement primaire, juillet 1909

C'est à se demander si Bébé ne serait pas en réalité l'instituteur, car, pour les enfants de paysans que sont les écoliers de 1900, l'été, à défaut d'être studieux, est une saison laborieuse. L'école est finie, donne-moi ta main et prends la mienne ; de juin à septembre, il faut aider aux moissons puis aux vendanges, quitte à manquer un peu la classe.

Voilà que le brouillard se lève. Le soleil incendie l'horizon, et les vignes aux feuilles jaunies par la lumière drapent les coteaux comme d'un manteau doré. Quel beau spectacle et quelle joie pour les yeux ! Accroupies auprès des ceps, les vendangeuses cueillent les lourdes grappes ; elles ont vite fait d'emplir les hottes qui font plier le dos des porteurs. On chante, on rit, et la besogne n'en va que mieux. C'est à qui trouvera les meilleurs refrains, à qui racontera les plus curieuses histoires. Parfois quelques oiseaux s'élèvent lourdement de dessous les ceps, et disparaissent : ce sont les premières grives qui, devançant les vendangeurs, ont picoré les grappes dont elles sont si friandes.

Certificat d'études, Ardennes, 1907

En automne, même le gris Paris s'orne de boucles d'or : les écoliers courent après les feuilles flamboyantes, les lampadaires entament leur ronde de plus en plus tôt. Seul le crissement des sergents-majors interrompt le silence.

Le soir dont je vous parle, je peux même dire que je m'ennuyais moins que jamais. Non, vraiment, je ne désirais pas que quelque chose arrivât. Et pourtant... Voyez-vous, cher monsieur, c'était un beau soir d'automne, encore tiède sur la ville, déjà humide sur la Seine. La nuit venait, le ciel était encore clair à l'ouest, mais s'assombrissait, les lampadaires brillaient faiblement. Je remontais les quais de la rive gauche vers le pont des Arts. On voyait luire le fleuve, entre les boîtes fermées des bouquinistes. Il y avait peu de monde sur les quais : Paris mangeait déjà. Je foulais les feuilles jaunes et poussiéreuses qui rappelaient encore l'été. Le ciel se remplissait peu à peu d'étoiles qu'on apercevait fugitivement en s'éloignant d'un lampadaire vers un autre. Je goûtais le silence revenu, la douceur du soir. Paris vide. J'étais content.

Certificat d'études, 1960

Content et un peu triste, c'est l'air de l'automne et c'est aussi celui de la rentrée : le monde de l'école et le cycle de la nature font chorus pour chanter la même chanson, l'antienne des générations qui se suivent et qui font que M. l'instituteur n'a jamais l'impression de vieillir. La nature et l'école se correspondent : belle et touchante, il convient de l'écouter et de la protéger, d'autant que le moindre de ses brins d'herbe a des leçons à donner.

– Petit brin d'herbe, à quoi peux-tu être utile dans ce vaste monde ?

– J'aide à le couvrir de verdure.

– Mais tu es si petit, si petit !

– Je sais, mais nous sommes très nombreux mes frères et moi ; et en nous serrant tous, nous couvrons d'un tapis frais et vert les monts et les vallons. (Ch. Delon)

Revue de l'enseignement primaire, avril 1908

De même que la mer, la mer toujours recommencée, l'évocation du paysage français est un horizon indémodable, qui des dictées préhistoriques à nos jours revient sans cesse et surprend toujours. La marée vous lèche les pieds en catimini comme le raconte Colette, marraine et marronnier de nos dictées.

La mer est partie si loin qu'elle ne reviendra peut-être plus jamais ?... Si, elle reviendra, traîtresse et furtive comme je la connais ici. On ne pense pas à elle ; on lit sur le sable, on joue, on dort, face au ciel, jusqu'au moment où une langue froide, insinuée entre vos orteils, vous arrache un cri nerveux : la mer est là, toute plate, elle a couvert ses vingt kilomètres de plage avec une vitesse silencieuse de serpent. Avant qu'on l'ait prévu, elle a mouillé le livre, noirci la jupe blanche, noyé le jeu de croquet et le tennis. (D'après Colette)

Brevet, 2010

Aussi vrai que Colette est la championne des auteurs « dictables », le paysage reçoit le premier prix du thème évoqué. Il faut dire qu'il est sage, beau et ne fâche personne. Quel meilleur sujet de réflexion pour les petits Français de 1942, histoire de leur faire oublier la guerre, que les tendres gazouillis de l'eau et des petits oiseaux ?

Je t'aime, je t'aime petite rivière, et je te peindrais bien jolie si je savais te peindre comme je te vois, petite reine de la vallée. Du haut des deux collines qui t'accompagnent, tout s'incline et descend vers toi : routes empierrées courant entre deux rangées d'arbres, chemins verts où l'herbe courte étoilée de pâquerettes serpente parmi les haies, sentiers et ruisselets qui vagabondent de compagnie à travers champs et broussailles, s'embarrassent dans les ronces, et coupent l'épaisseur des prés pour aboutir à toi. Des hameaux te regardent du fond d'un fouillis verdoyant.

Certificat d'études primaires, diplôme d'études primaires département du Finistère, session 1942

Les candidats bretons au certificat d'études de juin 1942 des centres de Lannilis, Le Faou, Pleyber-Christ, Pont-l'Abbé et Concarneau sont discrètement ramenés à la réalité par le sujet de la rédaction qu'ils ont à composer.

À l'occasion d'une fête de famille, votre mère a pu, malgré les restrictions, préparer un repas copieux. Racontez.

C'est la guerre et, si les assiettes sont vides, admirer par la fenêtre la belle terre de France nourrit au moins l'imagination. Et puis, en bonne *Alma Mater*, même en temps de restrictions, elle trouve toujours de quoi produire des délices. Elle offre des fruits sauvages, dont il convient de se régaler avec parcimonie car, comme le suggérait Ovidius Naso, il faut respecter l'art des baies. Oh ! Vous me recopierez cent fois : « Ovide a écrit *L'Art d'aimer*. »

Quand ma tante me permettait d'aller dans son jardin, elle me recommandait : « Surtout, ne touche pas aux framboises, je les ai comptées. » Au bout de cinq minutes, je ne résistais plus à la tentation, et je répétais en lorgnant les framboises : « C'est impossible que ma tante ait pu les compter toutes. » J'en mangeais quatre, puis, après avoir bien joué, je revenais d'un air innocent vers la chambre de ma tante, sans me douter que le parfum du fruit défendu était resté sur mes lèvres. « Approche. N'as-tu touché à rien ? » Et comme je jurais que non : « Approche, souffle. » Je m'exécutais : « Tu as mangé des framboises. » Je me voyais honteusement forcé de confesser ma faute.

M. Holot, *Cent dictées données au certificat d'études primaires (conformes au nouveau programme de 1938)*, 1940

Les paysages français évoluent lentement, à une allure que les dictées peuvent suivre. Elles prennent le train en marche, partent et arrivent à l'heure.

Nulle part on n'est mieux qu'en wagon ; je parle des trains rapides. On y est fort bien assis, mieux que dans n'importe quel fauteuil. Par de larges baies, on voit passer les fleuves, les vallées, les collines, les bourgades et les villes ; l'œil suit les routes, à flanc de coteau, des voitures sur ces routes, des trains de bateaux sur le fleuve ; toutes les richesses du pays s'étalent, tantôt des blés et des seigles, tantôt des champs de betteraves et une raffinerie, puis de belles futaies, puis des herbages, des bœufs, des chevaux. Les tranchées font voir les couches de terrain. Voilà un merveilleux album de géographie, que vous feuilletez sans peine, et qui change tous les jours, selon les saisons et selon le temps. (Alain)

M. Holot, *Cent dictées données au certificat d'études primaires (conformes au nouveau programme de 1938)*, 1940

Ce train d'Alain allait à grande vitesse. Il nous conduit quelques années plus tard à la gare du futur de Barjavel dont les malices orthographiques peuvent faire des ravages.

Sur la place de la gare, une foule éperdue tourbillonnait. Beaucoup de gens étaient venus dans l'espoir de prendre le train, pour gagner quelque autre ville qu'ils pensaient épargnée par le fléau. Mais sur les portes closes, une affiche tracée à la main annonçait que rien ne fonctionnait plus. Des hommes avaient traîné leur famille entière [...], la mère et tous les enfants encombrés de colis.

Ils arrivaient à la gare, se heurtaient aux portes fermées, lisaient l'avis et reprenaient, effarés, le chemin de leur domicile. Que faire, où aller, comment quitter la capitale où ils ne trouveraient bientôt plus de quoi manger ? Certains, découragés, s'asseyaient sur leurs valises, et mêlaient leurs larmes à la sueur qui coulait sur leur visage. (René Barjavel, Ravage)

Brevet, juin 1997

La terre se couvre de rails et de rêveries. Tandis que dans le ciel les écoliers admirent les traînées blanches des avions : pourvu qu'ils ne confondent pas le sujet avec le complément du verbe !

Le passage d'un avion

Tout à coup montent dans l'air de violents sifflements. Au-dessus des toits vole un avion à réaction. Il passe en trombe et rase la cime des arbres. Là-bas, des curieux étonnés lèvent la tête. Ils s'interrogent : « Où va cet avion ? D'où vient-il ? Repassera-t-il ? »

G. Galichet, G. Mondouaud, *Je découvre la grammaire et l'orthographe*, 1963

Pour vanter les grâces des monts et merveilles du pays commun, l'instituteur se fait poète. « Votre âme est un paysage choisi » : cette âme est celle de la France qui, de la pointe du Grouin à Menton, est un petit paradis terrestre. Condamné d'ordinaire au conformisme figé de l'idéal, il s'autorise, enfin, un peu de licence poétique. Les paysages se métamorphosent lentement, les dictées évoluent avec eux. Enfin, le progrès passe la garde des manuels d'orthographe.

Le progrès

Toujours prend toujours un s.

« En progrès », « peut progresser », « des progrès ! », « ne peut que progresser », sans oublier le terrible « n'a pas progressé » : le progrès, en dictée, c'est la grande affaire, pour les enseignants comme pour les élèves. En effet, depuis 1880, la dictée est éliminatoire au certificat d'études, à la cinquième faute. Pour adoucir ce couperet digne des meilleurs temps de Guillotin et de Robespierre, il y a une invention géniale, le point faute : « Chaque demi-faute fait diminuer le maximum d'un point ; une faute d'orthographe usuelle compte une faute ; une faute d'orthographe grammaticale, une faute ; l'accent changeant la nature du mot, une demi-faute ; les autres fautes d'accent, les fautes de cédille, de trait d'union, de tréma, de majuscule, de ponctuation, appréciées par le jury, sont évaluées, dans leur ensemble, une faute ou une demi-faute. » *(Arrêté du 16 juin 1880 sur l'examen du certificat d'études primaires)*

D'une beauté et d'une rigueur sibyllines, ce texte met en avant une notion allant de pair avec la notation, l'équité. Relatant son *Enfance*, Nathalie Sarraute, qui était pourtant loin d'être irréprochable en orthographe, fait de la justesse des mots l'incarnation de la justice, dont l'institutrice est la grande prêtresse : « La maîtresse nous prend nos copies. Elle va les examiner, indiquer les fautes à l'encre rouge dans les marges, puis les compter et mettre une note. Rien ne peut égaler la justesse de ce signe qu'elle va mettre sous mon nom. Il est la justice même, il est l'équité. Lui seul fait apparaître cette trace d'approbation sur le visage de la maîtresse quand elle me regarde. Je ne suis rien d'autre que ce que j'ai écrit. [...] Des lois que tous doivent respecter me protègent. Tout ce qui m'arrive ici ne peut dépendre que de moi. C'est moi qui en suis responsable. Et cette sollicitude, ces soins dont je suis entourée n'ont pour but que de me permettre de posséder, d'accomplir ce que moi-même je désire, ce qui me fait, à moi d'abord, un tel plaisir... Mais Nathalie, que t'est-il encore arrivé avec ce verbe apercevoir ? Tu lui as à nouveau mis deux p !

– Oh ! mais comment est-ce possible ?... C'est parce que j'ai de nouveau pensé à apparaître...

– Écoute, mon petit, tu sais ce que tu dois faire, tu vas écrire vingt fois : je n'aperçois qu'un p au verbe apercevoir...

Et j'admire tant d'ingéniosité. »

Même lorsque l'enseignant manque d'autorité, le progrès rafle tous les suffrages : élèves, instituteurs, parents, tout le monde veut « faire des progrès ». Les cancres espèrent un jour être en deçà des terribles cinq fautes et tous les petits Agnan, les premiers de classe, craignent de ne plus faire de progrès, voire d'être détrônés à cause d'une stupide étourderie. Pire, ils connaissent l'humiliation d'être rétrogradés comme s'en souvient Sartre dans *Les Mots*, en 1964 : « Mon grand-père avait décidé de m'inscrire au lycée Montaigne. Un matin, il m̩'emmena chez le proviseur et lui vanta mes mérites : je n'avais que le défaut d'être trop avancé pour mon âge. Le proviseur donna les mains à tout : on me fit entrer en huitième et je pus croire que j'allais fréquenter les enfants de mon âge. Mais non : après la première dictée, mon grand-père fut convoqué en hâte par l'administration ; il revint enragé, tira de sa serviette un méchant papier couvert de gribouillis, de taches et le jeta sur la table : c'était la copie que j'avais remise. On avait attiré son attention sur l'orthographe – "Le lapen çovache ême le ten" (le lapin sauvage aime le thym) – et tenté de lui faire comprendre que ma place était en dixième préparatoire. Devant "lapen çovache" ma mère prit le fou rire ; mon grand-père l'arrêta d'un regard terrible. Il commença par m'accuser de mauvaise volonté et par me gronder pour la première fois de ma vie, puis il déclara qu'on m'avait méconnu ; dès le lendemain, il me retirait du lycée et se brouillait avec le proviseur. »

Le progrès permet de se distinguer. Les moyens et même les médiocres y trouvent une manière d'être reconnus. Aux dictées de faire l'apologie du progrès.

Il n'y a pas de petits services rendus à la cause de l'humanité. Bien heureux ceux qui ont été semblables ! Ils ont profité des progrès de leurs ancêtres ; ils en ont fait faire un à ceux qui les suivront. Ils peuvent mourir en paix. Ils ont pour eux la reconnaissance des hommes.

Revue de l'enseignement primaire, juillet 1909

Dans la grande épopée du Progrès – glorieux à en attraper une majuscule –, ceux de l'élève et de l'humanité se rejoignent. L'écolier est invité à faire des progrès en orthographe, qui seront sa première participation au Progrès.

Celui qui a planté un arbre avant de mourir n'a pas vécu inutile : la sagesse indienne le dit. L'arbre donnera des fruits, ou au moins de l'ombre, à ceux qui naîtront demain. Celui qui coupe l'arbre et le divise en planches est un homme aussi utile que le premier ; celui qui assemble ces planches pour en faire un banc n'est pas un homme moins utile ; celui qui s'assied sur le banc, prend un enfant sur ses genoux et lui apprend à lire, est plus utile que tous les autres. (E. About)

Revue de l'enseignement primaire, octobre 1908

Pourtant, ce progrès chéri, ce progrès encensé, ce progrès adulé, est à la traîne. Même à la pointe, il reste un peu vieillot. Les avions ne volent dans le ciel orthographique qu'à partir des années 1960. Quand les dictées collent au développement technique, c'est pour saluer, depuis la salle de classe, l'arrivée du mythique paquebot *France*.

Sur le paquebot

Après une journée étouffante le soir semble venir vous délivrer... C'est la vie qui renaît d'un coup à l'heure routinière où le reste du monde va dormir. En un clin d'œil tout change. La mer la première s'assombrit, la vague claire prend un ton gris d'étain, puis le ciel se cendre et l'on ne voit plus au couchant que la gorge rose du jour que l'horizon marin paraît trancher. Là-bas une barque de pêcheur emporte dans sa voile ce qui reste de lumière. C'est fini, la nuit tombe... ou plutôt non, elle monte. Elle s'élève de la mer comme un brouillard, comme un lourd voile bleu qui joint la vague au ciel. A onze heures tout s'éteint. L'escalier se remplit des derniers rires, le bar se vide : tout le paquebot va dormir.

Certificat d'études, 1957

La dictée essaie d'accompagner le progrès scientifique, mais reste à la traîne. En 1921, on a déjà inventé la radio, le mot robot et l'avion de transport. Pendant ce temps, nonchalamment, l'enseignant apprend à ses élèves à observer les nuages.

Les nuages ne sont autre chose que des brouillards parvenus dans les régions supérieures de l'atmosphère. Cette assimilation est de tous points justifiée par les observations que l'on peut faire dans les

74

pays montagneux. Lorsqu'on s'élève sur les flancs des montagnes, il arrive qu'à certains moments on se trouve enveloppé de brouillards. Si l'on continue à gravir, on peut atteindre des couches d'air parfaitement transparentes ; et si l'on jette alors les yeux au-dessous de soi, on aperçoit les brouillards que l'on vient de traverser courir sous forme de nuages le long des flancs de la montagne.

L'École et la famille. Journal d'éducation, d'instruction et de récréation, 15 novembre 1921

Si nos contemporains arrogants se disent qu'« à l'époque » écoliers et instituteurs, vivant dans des campagnes hirsutes, étaient moins au fait des progrès de la Science, ils se trompent. Sans doute est-ce parce que les lois de l'orthographe ne progressent guère, voire pas du tout, mais les dictées demeurent dans le domaine technologique d'une candeur et d'une ignorance surprenantes. Si l'usage du téléphone portable se généralise avec les années 2000, quinze ans plus tard, il est encore une invention « pour les jeunes », inspirant un étonnement teinté de méfiance.

Quoi qu'on ait pu vous dire pour dénoncer les effets du téléphone portable sur la jeunesse, rappelez-vous que c'est un outil de communication. Qui voudrait que nos jeunes soient repliés sur eux-mêmes ? Voyez comme ils sont habiles ! Quelle que soit votre opinion, vous ne pouvez nier la dextérité des utilisateurs ! On *pourrait même parler de « virtuosité », quoique ce terme ne soit pas assez fort !*

Bled, *600 dictées Collège*, 2015

En 2015, alors que la majorité de la population possède un mobile, de l'autre côté du mur de l'école, le téléphone portable est une invention de pointe, un gadget pour les moins de quinze ans. Les « utilisateurs », ce sont les autres, les écoliers qui titillent l'admiration du maître, acceptant avec bonhomie de voir ses compétences surpassées par ce qu'il considère avec condescendance comme un joujou dernier cri. Pendant ce temps, papa et maman sont partis au travail en voiture, même s'ils préfèrent parler d'automobile. Parmi eux, rares sont ceux qui, en 2015, ont la chance d'avoir à leur bureau un ordinateur, à côté duquel sont naturellement posés un mulot et un cadre photo. Tablettes et liseuses n'ont pas encore fait leur apparition : heureusement les résultats du brevet sont disponibles sur minitel jusqu'à sa disparition, en 2012. Dépeint par les dictées, le présent – qui n'est pas qu'un temps simple de l'indicatif – est une sorte d'univers parallèle, qui, paradoxalement, semble toujours un peu appartenir au passé. Dans l'uchronie de la dictée, le futur ressemble à l'an 2000 des années 1960, façon Jules Verne ou *Fahrenheit 451* selon Truffaut. Les habitants du futur marchent sur la Lune.

Des milliers de curieux viennent chaque année visiter le musée de la base lunaire qui abrite de nombreux chefs-d'œuvre du vingt et unième siècle.

Quand les visiteurs ont présenté à l'entrée leurs deux laissez-passer, on leur remet leurs deux badges. Ceux qui s'intéressent aux techniques utiliseront le badge rouge pour visiter les vingtième et vingt et unième sous-sols, mais c'est le département des œuvres d'art (badge bleu) qui est le plus curieux : on y découvre des créations aussi étonnantes que des porte-clés ou des grille-pain.

Bled, *600 dictées Collège*, 2015

Ouf ! soyons rassurés : la France de demain reste le pays du pain, enfin reconnu à sa juste valeur d'œuvre d'art. À moins que le grille-pain sous cloche ne soit le signe du règne de la biscotte et de la fin de l'enivrante odeur du pain chaud ? Ce futur n'est pas près d'arriver, pas d'inquiétude : le monde des dictées a beau être parfait, il est assez rare que la technologie y fonctionne. Les fusées, par exemple, ont du mal à décoller. Ariane, ma sœur Ariane…

Le savant, très sûr de lui, enflamma une allumette, la présenta à sa fusée, attendit...
Mais rien ne se passa !
Etait-ce possible, qu'il y eût une erreur quelque part ? Une faute d'opération par exemple ? Le savant ne le croyait pas, car il avait travaillé minutieuse-ment et vérifié toutes ses opérations. Cependant, il se mit à refaire tous ses calculs et il trouva, en effet, que tout était parfaitement juste.

Il fixa à nouveau le jour du départ de sa petite fusée, et, avec beaucoup d'inquiétude cette fois, il commença à compter à rebours :

[...] Il comprit tout de suite que la fusée ne partirait pas.

Il commença sérieusement à se demander pourquoi. A quoi bon refaire encore tous ses calculs ? Il s'assit devant sa petite fusée et se mit à réfléchir...

Il se sentait très seul.

Et voilà que sa petite fusée, si parfaite et à laquelle il travaillait en silence depuis tant d'années, se mit à lui parler...

R. Millot, Y. Tribaux, Lisons Lisette, CE2, 1978

Un an avant les échecs successifs de la première Ariane, la petite Lisette avait déjà appris que les fusées ne marchaient pas. Mieux vaut se méfier des machines qui, quand elles ne se rebellent pas, tombent en panne. C'est à se demander si le futur et le progrès ne serviraient pas qu'à une chose : mieux aimer le passé.

Il est impossible de remonter dans le temps ; les événements antérieurs sont inaccessibles. Pourtant, hier, j'ai fermé les yeux et construit dans ma tête une machine à remonter le temps. Je me suis assis aux commandes et j'ai tourné la clé. Dans un grand tourbillon, je suis parti vers le passé. J'étais un enfant de six ans et j'avais bâti une grande tour avec mon jeu de construction. Je m'imaginais qu'en montant en haut de la tour, on pouvait se lancer dans le futur. Maman avait ri et dit qu'il était impossible de se projeter ainsi dans l'avenir.

Bled, 600 dictées Collège, 2015

Tout en faisant l'éloge du progrès technique et scientifique, la dictée retarde. Souffrirait-elle du complexe d'Orphée, cette malheureuse tendance à avancer en regardant en arrière ? Le message qui se dégage a de quoi faire sourire : grâce au progrès, le monde de demain pourra enfin ressembler au monde d'hier, en mieux. Allant, comme la tortue, « à son train de sénateur » lorsqu'il s'agit des sciences et des techniques, en matière de progrès social et politique il en va tout autrement. C'est un des rares moments où, à l'Assemblée, nos dictées se placeraient plutôt à gauche de l'hémicycle.

Pour louer et faire avancer le progrès des idées, l'instituteur sort son bonnet phrygien et entonne le chant de la liberté.

C'est (ce sont) quarante ans que nous avons consacrés à la conquête de nos libertés. C'est les jours de notre révolution que nous nous sommes battus avec le plus d'acharnement : c'était aussi ces jours qui nous paraissaient l'aurore du bonheur et de la prospérité de notre Patrie.

C'est nous les premiers qui ont (avons) secoué le joug ; et c'est nous qui les premiers avons (ont) fait entendre le mot de liberté à des hommes qui jusqu'alors avaient vécu dans l'esclavage. Peuples esclaves, qui avez courbé la tête sous le sceptre de fer de la tyrannie, sortez enfin de votre engourdissement ; et toi liberté, le plus grand bien des hommes sur la terre, qui a été refusée à ceux qui l'ont (l'ayant) réclamée, deviens enfin le comble de notre bonheur.

A. Gouzien, *Dictées françaises faisant suite à la nouvelle Grammaire française*, 1873

C'est l'esprit des Lumières qui souffle sur ces textes, sans mollir, jusqu'à aujourd'hui.

On a pris l'habitude de dire du XVIIIe siècle qu'il est le siècle des Lumières. C'est qu'à cette époque, les penseurs et les savants répandent les lumières du savoir sur la nuit de l'ignorance. Ces philosophes entendent rompre avec les croyances aveugles, les superstitions et certaines traditions passéistes.

Les écrivains des Lumières suivent une démarche rigoureuse d'analyse des faits par une observation méthodique. Ils mettent en avant leurs critiques, dans des textes articulés autour d'une thèse et d'une argumentation serrée, qui tendent à persuader leurs lecteurs. En fait, tout au long du siècle, ils ont dû se battre pour dénoncer les injustices au nom de la raison.

Bescherelle, *La Conjugaison pour tous*, *La Grammaire pour tous*, *L'Orthographe pour tous*, 2012

La conjugaison pour tous ! La grammaire pour tous ! Et vive le travail !

Travaille !
Si tu veux être libre et fort,
Travaille !
Si tu veux gagner sans effort
Le repos final de la mort,
Travaille !
Si tu veux être respecté,
Travaille !
Si tu veux garder ta fierté,
Ta belle humeur et ta santé,
Travaille !
Si tu veux soutenir tes droits,
Travaille !
Si tu veux que ta grande voix
Ait plus de force qu'autrefois,
Travaille !
Si tu veux forcer ton destin,
Travaille !
Si tu veux que sur ton chemin
ton frère te tende la main,
Travaille ! (Xavier Privas)

Revue de l'enseignement primaire, 1908

Marianne institutrice devient impérieuse, voire autoritaire quand il s'agit de réviser l'expression de l'ordre. Tandis que l'instituteur claironne les paroles de cette chanson composée par Xavier Privas, l'élève sans-culotte-courte et non sans culotte-courte, écrit, peut-être avec des fautes certes, mais noir sur blanc que la France est le pays des droits de l'homme.

Cette charte du citoyen est le plus éloquent abrégé de toute l'histoire de France, de l'histoire vécue et de l'histoire à vivre, du passé et de l'avenir.

Avant de se former en commandements sacrés les mots qui s'alignent en ses dix-sept articles ont été bégayés par des générations sans nombre, au milieu des gémissements et des sanglots ; et, pour réaliser dans la plénitude de leur signification, tout ce que ces mots promettent à l'humanité, il faudra aussi les efforts généreux d'autres générations.

Dans une des plus belles œuvres de Mozart, il est un chant qui rit et qui pleure, une plaintive sérénade que soutient un accompagnement joyeux. À qui sait lire, non des yeux seulement, la Déclaration, pareillement joyeuse et triste, dilate et serre le cœur. C'est un chant de triomphe où le citoyen, enfin maître de sa personne, maître de sa pensée et de ses biens, proclame l'émancipation du monde ; et c'est un chant de deuil où, sous ces fanfares qui saluent la loi et la liberté, on entend pleurer encore les plaintes de ceux qui sont morts dans les fers, victimes des privilèges de l'arbitraire, de l'iniquité, de l'erreur intolérante et de la tyrannie. (F. Gache, extrait de L'Éducation du peuple)

A. Viales, *La Première Année d'éducation et d'enseignement postscolaires des jeunes filles*, 1911

Comment un écolier ne retiendrait-il pas la leçon ? Quand un élève est-il plus docile et plus concentré que lorsqu'il est suspendu à chaque syllabe perlant de la bouche de l'instituteur ? La dictée devient alors un instrument de propagande irrésistible. Quel message transmet-elle ? Fille des Lumières, elle écrase l'Ennemi et autres superstitions en soutane, quel qu'en soit l'âge et même si, au passage, l'Église est mise à mal. Pour le cours d'adultes – section rurale – le crédule découvre la foudre.

Si l'on remarque que la majorité des cas de foudroiement se produit à la campagne, on en vient à conclure que les hommes sont davantage frappés parce qu'en grand nombre ils vont aux travaux des champs.

La plus grande partie des victimes faites par la foudre avaient cherché un refuge sous les arbres, ou travaillaient en pleine campagne, tenant en main des objets en fer : charrue, faux, fourche, etc. Les églises sont, elles aussi, souvent frappées : c'est dire que les fidèles apeurés qui y cherchent refuge afin d'y prier n'y sont nullement en lieu sûr. Les coutumes veulent encore, dans certains pays, qu'on sonne les cloches à grande volée pour chasser l'orage. « Qui tient la corde d'un clocher ou quiconque sonne sous l'orage est presque infailliblement foudroyé » à ce qu'assure M. Flammarion, et l'autorité de ce savant ne saurait nous permettre de mettre cette assertion en doute. En voulant implorer son dieu le crédule s'expose donc davantage qu'en attendant près de son feu que les nuages noirs se soient dissipés. Le 22 juillet 1868 une femme de Gien aspergeait sa maison d'eau bénite, pendant un orage, pour la préserver du « feu du ciel » quand soudain celui-ci vint casser sa bouteille entre les mains et démolir le carrelage de sa pièce.

Revue de l'enseignement primaire, novembre 1908

Déjà avant la loi de 1905 de séparation des Églises et de l'État – les deux ayant droit à la majuscule –, lorsque l'abbé Tumen, qui enseigne la foi, et la bête à concours, l'instituteur, qui prêche le progrès, prennent langue, les échanges ont tendance à tourner à la boucherie.

Il ne faut toutefois pas confondre l'imparfait et le passé simple, ni le présent avec l'impératif, ni même les religieux avec la religion.

Jésus-Christ, notre divin maître, qui a passé sur la terre en faisant le bien, est venu apprendre aux hommes à s'aimer les uns les autres, et leur révéler le plus beau privilège de leur nature, en leur imposant comme un devoir, comme une obligation rigoureuse, la bienfaisance, cette vertu excellente, à laquelle le christianisme a donné le nom de charité. Chez les nations païennes, dans les sociétés antiques, où il n'y avait que des maîtres et des esclaves, la bienfaisance était à peine connue ; tout ce qui était faible, pauvre, souffrant, était sans appui, sans secours, sans consolation. La charité, vertu absolument chrétienne, a pris naissance dans Jésus-Christ ; c'est la vertu qui le distingua principalement du reste des hommes. Ce fut par la charité, à l'exemple de leur divin maître, que les apôtres gagnèrent si rapidement et séduisirent saintement les cœurs.

La religion chrétienne, en proclamant que tous les hommes sont égaux devant Dieu, a pris sous sa protection tous les malheureux, tous ceux qui souffrent. Elle parle le langage du cœur, elle prêche l'amour et l'union entre les hommes. À la voix de la charité, l'esclave devient libre, un lien d'affection unit le serviteur au maître, le cœur du riche s'ouvre à des sentiments inconnus, et les pauvres deviennent un objet d'attention et de sollicitude. La société jette un regard de compassion sur ses membres affligés, et elle fonde des asiles pour l'indigence qui souffre; elle recueille les enfants abandonnés, les orphelins, elle veille sur eux dès leur naissance, plus tard elle les instruit et les protège; elle nourrit, elle soutient les vieillards, les infirmes laissés sans ressources, sans appui; elle assure l'avenir des soldats qui ont blanchi sous les armes, qui ont été mutilés dans les combats. C'est ainsi que la religion chrétienne, en apportant la charité parmi les hommes, a trouvé des secours et des consolations pour toutes les misères, pour toutes les douleurs. Sous ses inspirations se sont formées ces congrégations religieuses, ces associations charitables dévouées au soulagement des malheureux, ces missions qui vont porter les enseignements et les bienfaits de la vraie foi dans les contrées les plus lointaines et chez les peuples les plus sauvages. C'est encore sous ses auspices, et avec l'appui soit des gouvernements, soit des hommes les plus recommandables, qu'ont été fondées, à diverses époques, ces grandes et belles institutions connues sous le nom d'établissements de bienfaisance.

G. Belèze, *Dictées et lectures*, 1869

Il faut dire que l'école laïque, bien entendu, n'est guère portée sur l'ecclésiastique, quelle que soit la couleur de sa soutane. L'aBBÉ a perdu son rABat à l'ABBaye.

La lettre B ne se double que dans les six mots suivants et leurs dérivés :

Abbé, sabbat, rabbin, gibbeux, gobbe (Boulettes qu'on jette dans les rues pour empoisonner les chiens errants), globbée (Genre de plantes des Indes Orientales).

Le chien appartenant au jardinier de la manufacture a gobé une gobbe dans la rue, son maître est aux abois. Le pauvre caniche n'aboie plus. M. l'abbé, en se rendant à l'abbaye, a perdu son rabat. Ce prêtre est un rabbiniste célèbre, il connaît toutes les traditions rabbiniques ; il a étudié, non en abrégé, mais avec des détails les plus abondants, toute la doctrine des rabbins ou docteurs juifs. Dans sa dernière instruction il a abordé la question du sabbat chez les Juifs, puis il a ébauché celle de l'année sabbatique. Avant de quitter l'abbaye, l'abbé a vu l'abbesse. Cette religieuse abaisse son voile quand elle s'abouche avec quelqu'un, c'est une femme habile ; elle a aboli plusieurs abus dans la communauté et a revendiqué *à l'état plusieurs droits abbatiaux sans se laisser abattre par les difficultés.*

C. Juranville, *Dictées curieuses*, 1896

Comment ne pas voir une pointe de malice, même sous la plume de la très sérieuse Clarisse Juranville, dans cette abbesse habile qui abaisse le voile pour mieux aboucher ?

La fière Marianne orthographique, en pleine possession des règles d'accord des couleurs, quand elle arbore sa cocarde, tire invariablement sur le rouge. Voilà qui a de quoi surprendre mais l'instituteur, hussard noir, lorsqu'il ne s'en sert pas pour corriger, tient son stylo rouge entre les dents. Cela ne l'empêche pas de vénérer les vieilles valeurs françaises. Face à la concurrence des revues de dictées pour les écoles catholiques, il se doit d'être à la fois traditionaliste et progressiste. C'est ainsi que, sur la même page de la *Revue de l'enseignement primaire* de juin 1909 (la page 573), se trouvent tout à la fois « le pays que Bébé préfère, c'est son village » et cet éloge du syndicat :

Les travailleurs ont maintenant le droit de s'associer. Partout ils se syndiquent, forment des syndicats. Le syndicat agricole permet aux paysans d'acheter en gros des engrais, des semences, des machines : ils les ont ainsi à meilleur compte. Le syndicat ouvrier cherche à la fois à faire hausser les salaires, à améliorer l'hygiène et les conditions du travail.

Revue de l'enseignement primaire, juin 1909

Néanmoins, tous ces efforts conjugués ne sortent pas du territoire. Le pain se partage mais il reste une singularité nationale, tout comme la dictée. La dictée est un exercice national, il s'agit d'apprendre à aimer le français et la France, l'internationalisme n'y est guère de mise. Ministre de l'Instruction publique et des Cultes sous Gambetta en 1881, Paul Bert, invite ses « hussards noirs de la République », ainsi que les appelle Charles Péguy, à mêler l'éloge du travail avec l'amour de la patrie : petits camarades de classe, si vous êtes libres, si vous êtes égaux, en un mot si vous êtes français, c'est parce que vos frères travaillent et vos pères avant eux ! Surtout, l'instituteur doit faire l'apologie du plus grand des progrès, l'école laïque.

Elle vit aujourd'hui, cette école laïque si nettement conçue par les grandes assemblées de la Révolution, repoussée ensuite sous prétexte d'utopie par les diverses réactions, et malgré tout obstinément saluée dans le lointain par tous les penseurs du siècle comme le berceau de la République future. Elle vit, et c'est la plus nationale de nos institutions. Plus un village, plus un faubourg où l'on ne voie de loin s'ouvrir, hospitalière et accueillante, cette maison commune de l'enfance, qui n'appartient à personne, parce qu'elle est à tout le monde. C'est la première image de la patrie, le premier atelier d'apprentissage de la fraternité civique. La République a fait, dans l'espace d'une génération, ce que la Monarchie et l'Église n'avaient pu faire en tant de siècles : voilà le miracle de la raison et de la liberté. (Ferdinand Buisson)

Certificat d'études, Avallon, Yonne, juin 1908

Ferdinand Buisson, directeur de l'enseignement primaire au début du XXᵉ siècle et prêcheur de l'école laïque, avait songé à bien des difficultés et même que celles de l'orthographe lui viendraient en aide pour implanter la laïcité en France.

Certes, ce ne sont pas les colonnes de *L'Humanité*, mais il y a du Jaurès et du Michelet dans nos dictées ; sans oublier que, parmi les « pensées libres » que l'instituteur est invité officiellement et ministériellement à écrire au tableau noir, il y a Blanqui, Rousseau et Clemenceau furieux, beaucoup plus socialiste que radical, prenant la défense, lui le « premier flic de France », du gréviste qu'il appelle « camarade », contre le gendarme. Même Chamfort et Voltaire sont présentés comme des partageux. De Voltaire, l'élève en cours élémentaire est invité à retenir :

On a trouvé, en bonne politique, le secret de faire mourir de faim ceux qui, en cultivant la terre, font vivre les autres.

Hostie républicaine, la dictée se partage et invite les écoliers à respecter tout autant leur école que leur pays. Elle est un instrument de propagande. Liberté, égalité, fraternité, la dictée enseigne les lois du bon français, mais aussi à être un bon Français, un patriote. Voilà la mission : dicter la France éternelle.

Dicter la France éternelle

À l'école de la dictée

La tâche, ce travail nécessite un chapeau.

L'école est un sanctuaire pour les enfants qui, devenus grands, éprouvent de la nostalgie à l'évocation de la salle de classe. En 1954, en Charente-Maritime, les candidats au certificat d'études prennent sous la dictée un texte de Moselly. De son vrai nom Émile Chénin, il avait adopté dès 1902 un pseudonyme évoquant la Moselle perdue. Agrégé *ès* lettres, il avait eu pour élève, au lycée d'Orléans, Maurice Genevoix, autre vedette parmi les auteurs de dictées. L'école de Moselly est celle d'une France rurale patinée par la mémoire.

Mon école

J'ai eu le bonheur d'aller à l'école primaire, à l'école de mon village. Elle ne ressemblait pas aux bâtisses maussades qu'on voit dans les grandes villes, dont les fenêtres sont garnies de carreaux dépolis, et dont les cours sont pareilles à des préaux de prison. C'était une grande salle au premier étage de la maison commune ouverte sur les marronniers de la place. Par moment, on voyait la voile brune d'un chaland glissant au ras des toits et, quand on rentrait les foins, les larges voitures frôlaient les murailles, cahotant les faucheurs et les faucheuses qui, couchés sur la masse odorante, nous faisaient des signes d'amitié au passage. (Moselly)

Recueil de 100 examens complets proposés au C.E.P.E., 1954

La rentrée des classes, après les moissons, se traduit en dictée, quand il est urgent de souligner la joie des retrouvailles. La veille, cancres et chouchou – avec un *s* ou avec un *x* ? – ne veulent pas aller se coucher. Même l'instituteur a du mal à dormir. Demain, c'est la rentrée. Le matin, soucieux, il arrive en avance. Il cache sa nervosité et se convainc du plaisir des enfants de retrouver leur pupitre. La rentrée n'est-elle pas l'occasion de les équiper de souliers neufs, de belles blouses et de beaux tabliers mais surtout d'insister sur la nécessité de ne pas confondre *et* et *est* ?

La rentrée

C'est un beau jour. Dans les rues, les écoliers s'appellent et bavardent. Ils sont propres et soignés. Beaucoup ont des tabliers neufs et brillants. Le portail est franchi. Monsieur et Madame Devarenne ont regardé les enfants. Georges est souriant et Jeanne est inquiète.

G. Galichet, G. Mondouaud, *Je découvre la grammaire et l'orthographe*, 1963

La rentrée certes est un beau jour, mais il est quelquefois maussade. Mieux vaut dans ce cas être pourvu d'une bonne pèlerine. Avec le béret et les souliers cloutés, la tenue sera parfaite pour se protéger de la pluie et ressembler à un petit écolier.

Pour apprécier une pèlerine, il faut avoir à marcher longtemps dans la pluie, dans le brouillard.

Aucun autre vêtement ne vous enveloppe de cette façon. Les bras, jusqu'à l'extrémité des doigts, se cachent entièrement dessous. La tête, elle-même, peut s'enfermer dans le capuchon. Il ne passe que votre regard, que votre souffle. Les mains appuient au fond des deux poches intérieures et ramènent les pans l'un vers l'autre, en supprimant toute fissure. La pèlerine est plus qu'un vêtement, c'est une sorte d'habitation où l'on vit et qui se déplace avec vous...

Louis pense à sa pèlerine pareille, dans la rue pluvieuse, à une tente dans la plaine ou à une hutte dans les bois. (Jules Romains)

M. Holot, *Cent dictées données au certificat d'études primaires (conformes au nouveau programme de 1938)*, 1940

Le son de la cloche ou du sifflet regroupe les élèves éparpillés qui se mettent en rang, deux par deux, avant de se diriger vers la salle de classe. Le maître attend que le groupe soit assagi puis fait entrer ce petit monde. Asseyez-vous ! Le maître écrit son nom au tableau, la date, puis fait l'appel : il faut ce rituel pour que la classe puisse commencer. L'école est un espace rassurant, porteur des espoirs, dans une France où l'enfant participe au travail de la ferme. Elle est le lieu de rencontre quotidien pour les plus jeunes isolés dans leur hameau. Pour les adultes, c'est le café. Pour tous, le dimanche, c'est la messe. Parce qu'elle permet les contacts et le partage des savoirs, la petite école construit les identités, tant dans la classe que pendant la récréation, sous les marronniers (*Aesculus hippocastanum*) ou les tilleuls (*Tilia*).

Le plus souvent, nous arrivions à l'école ensemble. Comme elle était accueillante, de loin, au milieu des arbres, des jardins et des champs ! Comme il faisait bon dans la cour, sous les marronniers, dont les écorces de fruits piquaient les doigts !

J'avais six ans. Je me mêlais aux autres. Les grands me bousculaient un peu, mais pas trop fort tout de même, parce que j'étais le « fils de la maîtresse »...

Un coup de sifflet et les quatre classes s'alignaient. Le rang de ma mère était sensiblement plus long que les autres. Elle avait soixante-dix élèves, à qui elle devait apprendre à lire... Il y avait toujours une dispute qu'il fallait apaiser, des pleurs qu'il fallait sécher, une écorchure qu'il fallait soigner. (Georges Le Sidaner)

M. Pieuchard, *100 nouvelles dictées au C.E.P.*, 1965

L'école dans les dictées est celle de la France rurale, du petit village entouré de champs. Municipale, elle fait le pendant à l'école religieuse, comme la mairie fait face à l'église. À l'intérieur, le parquet sent l'encaustique et les murs sont couverts de cartes et de planches Deyrolle : ici les papillons, là l'anatomie du cheval, ailleurs ce sont les arbres du monde entier. Autant que la fenêtre, ces planches sont essentielles à l'imaginaire de l'élève qui rêve devant la forme incroyable de l'arbre bouteille, l'élégance du ravenala et la silhouette familière du peuplier (*Populus pyramidalis*). La description de la salle de classe devient une dictée qui fait l'inventaire de tout le matériel nécessaire à l'élève.

Le nom ou substantif est un mot qui sert à désigner une personne ou une chose.

1. Je vois dans ma classe des portes, des fenêtres, des tables, des bancs, des bureaux, des tableaux, des images, un christ, des sentences, des cartes géographiques, des modèles, une baguette, de la craie, un siège.

2. Il faut à un élève des livres, des cahiers, des plumes, un porte-plume, un encrier, un crayon, une règle, un transparent, un carton.

3. Mes livres ordinaires sont : le syllabaire, le catéchisme, le paroissien, la *Vie de Jésus-Christ*, l'extrait de grammaire, les abrégés de l'arithmétique, de l'histoire sainte, de l'histoire de France, de la géographie.

4. Un bon élève ne gâte rien de ce qui est à son usage.

F. P. Bransiet, Cours élémentaire
d'orthographe, 1869

L'école décrite dans les dictées n'insiste guère sur les différences qui existent entre la ville et la campagne, entre le bocage aux hameaux dispersés et les régions où les maisons sont regroupées. Le vécu des écoliers s'en ressent quand il faut faire une longue marche pour atteindre le village. Les sabots blessent le cou-de-pied et les plaies sont chaque jour rouvertes. Après être passée par l'École normale de Quimper, Léontine Drapier-Cadec fut institutrice à Brest. Dans les années 1960, ses souvenirs sont autant de madeleines trempées dans un verre de lait. C'est « la mélancolie crève-cœur » selon le critique de cinéma Jean-Louis Bory qui préface la *Recouvrance des souvenirs*.

À l'école du village

Pendant qu'on récitait les leçons, les enfants qui avaient les pieds mouillés se déchaussaient et faisaient sécher leurs bas. La classe avait vite l'odeur de laine chaude ou brûlée. Les enfants avaient traversé des champs labourés et pataugé dans de si profondes ornières que le bas des jupes des filles et des pantalons des garçons était lourd de boue : à l'aide de leur couteau, ils enlevaient le plus gros.

Que je plaignais les petites Donon qui venaient de si loin et qui avaient tant d'engelures ! Et les enfants qui n'apportaient pour tout repas que deux tartines dans un mouchoir noué ! Quelques-uns mangeaient de la soupe à l'auberge, puis venaient, quand il pleuvait, se réfugier en classe. (Léontine Drapier-Cadec)

M. Pieuchard, *100 nouvelles dictées au C.E.P.*, 1965

L'école rythme la vie de l'enfant qui, jusqu'en 1972, doit travailler le mercredi. Le jeudi est la journée de liberté. Celle-ci est souvent laborieuse : on est en famille, pour aider les adultes dans leurs tâches, ou au moins pour les imiter. Dans cette dictée des années 1960, quand il est question d'étudier le présent, le jeudi donne à l'écolière l'occasion de se déguiser en ménagère :

Une petite ménagère
Le jeudi matin, j'ai le ménage de ma chambre à faire. Je frotte le parquet, je passe l'aspirateur, j'encaustique les meubles. Je suis bien contente de venir en aide à maman.

G. Galichet, G. Mondouaud, *Je découvre la grammaire et l'orthographe*, 1963

Comment résister à la tentation de tremper la pointe de l'index dans le petit encrier en porcelaine, encastré dans le pupitre, qu'un camarade vient de remplir d'encre violette ? Le doigt s'approche mais le maître gronde : il faut rester concentré car arrive l'heure de la dictée. Cet exercice redouté est propice à une mise en abyme quand la dictée parle de l'école. À travers le temps, seul l'outil change et l'épreuve demeure la même : écrire, sans fautes, les phrases dictées par le maître en formant de belles lettres, car « le fond est à la forme ce que la forme est au fond », autrement, selon le bon Victor Hugo : « La forme c'est le fond qui remonte à la surface. » Jusqu'à la fin du XIXᵉ siècle, avant de pouvoir se régaler de calligraphie, l'écolier devait s'adonner à une pratique aujourd'hui oubliée : l'art de tailler la plume. Il fallait maîtriser le geste séculaire mais précis que nécessitait le maniement du canif sur la plume d'oie : un joli biseau sur le tuyau avec une fente centrale pour laisser passer l'encre. Le volatile de l'écolier n'était pas l'oiseau-lyre de Prévert mais la bonne grosse oie, prêtant ses plumes pour écrire des mots.

Presque toutes les plumes à écrire sont tirées de l'aile des oies ; celles du bout de l'aile sont plus petites et moins chères. Avant de s'en servir, il faut les débarrasser d'une substance grasse qui les recouvre et les rend molles ; à cet effet, on les plonge par le tuyau dans du sable fortement chauffé, et on les y laisse jusqu'à ce qu'elles soient bien nettoyées et qu'elles aient acquis le degré de dureté convenable.

L'usage des plumes métalliques est aujourd'hui fort répandu ; on les fait le plus ordinairement avec de la tôle d'acier. Elles sont d'abord taillées d'un seul coup à l'emporte-pièce, puis finies avec des limes et sur la pierre à aiguiser.

G. Belèze, *Dictées et lectures*, 1869

Le progrès technique fait une entrée fracassante dans la salle de classe quand apparaît la plume métallique : en garde ! La révolution industrielle bouleverse les pratiques des écoliers et marque les différences sociales : gloire à celui dont la plume est de métal ! Dans les années 1830, en France, des brevets sont déposés, selon un modèle venu d'Angleterre. La région de Boulogne-sur-Mer profite des progrès de la métallurgie et accueille, au milieu du XIXe siècle, des usines spécialisées dans la fabrication de plumes métalliques dont la mythique Sergent-Major.

La plume

La plume d'oie détrônée par la plume de fer. L'acier, mes chers petits, a fait révolution dans l'instruction depuis une trentaine d'années. Vous êtes étonnés ; écoutez ceci : l'oie, vous l'avez entendu dire, n'a pas précisément la réputation d'avoir de l'esprit ; eh bien, c'est pourtant l'oie qui a toujours fourni la plume pour écrire, même les chefs-d'œuvre.

Que de plumes n'avons-nous pas taillées dans notre jeunesse ! nous, grands-papas et grand'mamans d'aujourd'hui ; et nos canifs, combien les avons-nous fait repasser ; que de tours ne nous ont-ils pas joués !

À l'heure où la rentrée des classes a sonné, nous avions, nous autres pauvres maîtresses de classe, vingt, trente, quarante plumes à tailler. Ah ! combien en avons-nous vu gâcher de ces pauvres plumes d'oie qui étaient vendues en paquets de vingt-cinq, et que de blessures, que de coupures ne nous sommes-nous pas faites ; il nous a fallu égaliser les deux becs sur l'ongle de la main gauche, et plus d'une d'entre nous l'avait usé ; et que de temps perdu ! que de tailles de plumes recommencées ! que de prétextes trouvés et mis à profit par les petites filles ou les petits garçons souvent paresseux !

L. Debierne-Rey, *Dictées de l'enfance*, 1875

Dans une France où le travail commence de bonne heure, où les parents peinent parfois à lire et à écrire, il n'est pas évident de faire entendre la nécessité de l'éducation. L'école obligatoire est récente et la dictée doit convaincre les écoliers que les heures passées assis à leur pupitre sont désormais nécessaires au petit enfant dont la France a besoin.

Personne ne peut dire à quel moment précisément le niveau a été volé aux maçons pour atterrir sur le bureau des pédagogues. En revanche, il ne cesse de baisser, au même rythme que le respect se perd. Cette certitude sans fondement rassure les auteurs de manuels. Pour redresser (ce qui est étymologiquement le sens du verbe instruire) la situation, la tentation est forte d'en venir au châtiment corporel. Pourtant, même le maître (ou la maîtresse) doit se maîtriser car aller au coin, se tenir sur un pied, recevoir un coup, se faire tirer les oreilles sont autant de punitions sanctionnées. Dès 1834, le statut général sur les écoles primaires élémentaires proposé par le gouvernement Guizot est très clair : « Les élèves ne pourront jamais être frappés. » Les punitions autorisées sont alors listées : les mauvais points ; la réprimande ; la restitution d'un billet de satisfaction ; la privation de récréation ; le travail supplémentaire – on disait alors « extraordinaire » – et le renvoi provisoire de l'école. Toutefois, les contraintes physiques restent tolérées, telles la mise à genoux pendant une partie de la classe ou de la récréation et l'obligation de porter un écriteau désignant la nature de la faute. Quant au bonnet d'âne, toute la faconde d'Herriot à le faire interdire en 1927 n'y suffit pas : entre le texte et la pratique, les différences sont grandes et les écoliers humiliés, frappés, de la simple calotte à l'oreille décollée.

À l'opposé de la punition, et plus encore du châtiment, l'école est pourvoyeuse de récompenses. Combien faut-il de bons points pour obtenir une image ? Oui, il fut un temps où l'image était rare et l'obtenir était une récompense prisée. Bons points, images, prix, tableau d'honneur : prenons la posture de l'enseignant moraliste et rappelons, avec emphase, que la plus belle des récompenses est la réussite à l'examen.

Mes progrès étonnèrent mes maîtres, et quand vint le jour de l'examen, je me tirai fort bien d'affaire. Monsieur le directeur, qui avait des intelligences dans le jury, nous apprit que ma rédaction avait été fort remarquée, ma dictée parfaite et qu'on avait apprécié mon écriture. Par malheur, je n'avais pas su résoudre le second problème, qui concernait les alliages. Son énoncé avait été rédigé avec tant de finesse qu'aucun des deux cents candidats ne l'avait compris, sauf un nommé Oliva, qui obtint ainsi la première place : je n'avais que la seconde. On ne me gronda pas ; mais ce fut une déception. (Marcel Pagnol)

M. Pieuchard, *100 nouvelles dictées au C.E.P.*, 1965

Dans *Le Château de ma mère*, le petit Marcel est confronté à un énoncé des plus pervers. Les dictées sont une souffrance pour l'écolier qui hésite. Malheur à lui si l'instituteur a le plaisir sadique du mot compliqué, de l'accord alambiqué et de l'exception grammaticale. En 1873, Louis Gouzien publie les dictées que son père, ancien chef d'institution et membre de l'Université, avaient façonnées dans sa longue carrière. Dans un souci pédagogique et soucieux de fuir l'horreur cacographique, il fait placer entre parenthèses les « formes vicieuses » de ces dictées : « Le professeur, suivant son gré, les dictera ou non à l'élève au lieu des formes régulières. »

Toutes les nations qui ont passé et qui se sont succédé sur cette terre depuis que Dieu l'a créée, quelque simples que fussent (qu'étaient) les lois qui les régissaient, ont apporté une attention toute (tout) particulière à l'éducation de la jeunesse et l'ont regardée comme un des objets les (le) plus dignes des préoccupations du gouvernement. Les hommes qui se sont le (les) plus distingués dans leur patrie, ceux mêmes qui l'ont couverte (couvert) de gloire, ont dû, au peu d'instruction qu'ils avaient reçue et au peu de lumières qu'ils avaient acquises (acquis) par le travail, la supériorité qu'on leur a reconnue sur leurs semblables, et les avantages qu'ils ont eus sur tous (toutes) les gens mal élevés et sur toutes les sottes (tous les sots) gens que leur ignorance a humiliés. C'étaient les plus instruits, les mieux élevés qui étaient toujours placés en première ligne ; les autres se les sont proposés pour modèles et ont suivi (imité) leur exemple, quand l'envie ou l'intérêt particulier ne les en a (ont) pas détournés et les a (ont) laissés aller à leur pente naturelle. Quelque habiles que certains ignorants se soient (se sont) crus, quelques brillantes dispositions qu'ils aient (ont) même reçues de la nature, ils ont dû reconnaître le mérite réel et lui accorder les éloges qu'ils se sont imaginé (ont imaginé) lui être dus.

A. Gouzien, *Dictées françaises faisant suite à la nouvelle Grammaire française*, 1873

La dictée des familles

La vieille ne peut marcher qu'avec ses deux bâtons.

Le matin, l'élève entre en classe et salue sa nouvelle famille où l'instituteur remplace pour la journée son père et sa mère, les camarades, ses frères et ses sœurs. Ce serait le bonheur sans les pièges de l'orthographe. Heureusement la famille reste présente dans les dictées ne serait-ce que pour donner des astuces : *pour connaître la terminaison d'un mot, chercher un mot de la même famille.* Un marchand, une marchande ; un marquis, une marquise ; un fripon, une friponne ; un gamin, une gamine, mais le nourrisson n'a pas sa nourrissonne.

Bonsoir Bébé ! va faire dodo ! Bonsoir maman ! Bonsoir papa ! Bonsoir Minet ! Bonsoir le gros toutou ! Bonsoir les fleurs et les oiseaux !

Revue de l'enseignement primaire, septembre 1908

Maintenant que Bébé est couché, parlons librement. La famille est omniprésente dans les dictées, voire envahissante. Papa et maman sont idéalisés, mièvres et parfaits à la limite du supportable. « Bébé », lui, est le petit héros orthographique né au début du xxe siècle dans la *Revue de l'enseignement primaire*, à destination des instituteurs. Les aventures de Bébé sont nombreuses et toujours édifiantes : Bébé lit, Bébé chante, Bébé trouve un nid, Bébé poltron, Bébé fait des progrès, etc. S'il est difficile de déterminer quel âge a Bébé, il est déjà très français, profondément français.

Le pays que Bébé préfère, c'est son village. C'est là qu'il est né. C'est là qu'il habite avec son papa et sa maman. C'est là qu'il joue de tout son cœur. Quand Bébé sera grand, il verra d'autres pays, mais il préférera son pays natal.

Revue de l'enseignement primaire, juin 1909

Quelle qu'en soit l'issue, la consigne est la même : le texte est « à dicter et à écrire au tableau noir », avant de donner lieu à une « causerie » accompagnée de questions de grammaire et de vocabulaire.

Causerie

Bébé a-t-il voyagé ? Où a-t-il été ? Quel est le pays que Bébé préfère ? Pourquoi ? Qu'est-ce que Bébé trouve de beau à ce pays-là ? Quels sont les doux souvenirs qui s'y rattachent ? Dites quelles sont les jolies choses de votre pays.

À ces questions, l'instituteur aurait pu en ajouter une autre, mais la réponse était peut-être trop évidente : quel est le nom du pays de Bébé ? Il s'appelle la France, le pays du pain, le pays du blé ! En miche ou en baguette, de campagne ou de seigle, il est la mie de la famille, l'aliment de base. Le pain est à la France ce que la famille est aux dictées : essentiel !

Texte à étudier, à dicter et à écrire au tableau noir
Bébé a ramassé un épi de blé dans le champ. Il le regarde, il pense : « C'est de cet épi que provient le pain. » Et Bébé en songeant à cela, trouve que l'épi est la plus belle de toutes les plantes.

Revue de l'enseignement primaire, 4 juillet 1909

Bébé peut-il traîner seul dans un champ peuplé de moissonneuses, de faucheuses et déjà de pesticides ? Comme la majorité des Français de 1909, Bébé vit à la campagne : mieux vaut pour lui qu'il possède le plus possible le fameux bon sens paysan. Le pays, c'est la France et les « pays » désignent les villages : s'il voyage, ce sera dans d'autres provinces, voire « à la ville ». L'étranger, c'est plutôt pour y faire la guerre. Pourtant Bébé est ambitieux, il pense déjà à son métier, mais avec réalisme : Bébé ne sera pas pompier.

Texte à étudier, à dicter et à écrire au tableau noir
– Que feras-tu Bébé, quand tu seras grand ? Seras-tu boulanger ? menuisier ? maçon ?

– Non, j'aimerais mieux rester à la campagne et me faire paysan, comme mon père.

Causerie

Qu'est-ce que l'avenir ? Qu'est-ce que faire des projets d'avenir ? Les projets de Bébé sont-ils sérieux ? Bébé a encore le temps de changer d'avis, n'est-ce pas ? Quel est le métier de votre papa ? Savez-vous pourquoi les enfants prennent souvent le métier de leur père ? (Le père est le maître : il peut mieux montrer qu'un étranger et l'enfant est déjà familiarisé avec le métier.)

Revue de l'enseignement primaire, juin 1909

Les parents de Bébé et de tous les manuels de dictées sont des parents modèles. Le père n'est pas absent, il est distant, parce qu'il travaille : ses enfants le voient tôt le matin, « déjà rasé, déjà peigné », « de l'eau froide, beaucoup d'eau froide, pour durcir l'épiderme. Sans cela vous aurez des poches sous les yeux et vous serez vieux à vingt ans », selon Georges Duhamel, cité par Pieuchard dans son manuel de dictées en 1965. Père rime avec sévère, autoritaire, montgolfière même si ce dernier cas mérite discussion. Par contre, il est certain qu'il va de paire avec savoir. Le père sait. Le Code civil lui donne tous les droits, sur ses enfants et sur sa femme. La *Revue scolaire*, supplément à la *Revue de l'enseignement primaire*, est sous-titrée « Le monde expliqué aux enfants : entretiens d'un papa avec son enfant ».

La vie, la mort, Kepler et Galilée, l'os et la pierre taillée, le darwinisme, Kant et Laplace, le principe d'Archimède et Pascal, voici un aperçu des sujets sur lesquels papa est incollable. Ce papa-là s'appelle en réalité Henri Arnoud qui fut l'un des pionniers de l'utilisation du cinématographe en classe. Papa Henri n'a pas froid aux yeux et n'hésite pas, en fin d'année certes, à expliquer à son fils les lois de la fécondité, planches à l'appui et termes choisis : « Oui, mon petit garçon, dans le sein de la mère, l'homme est successivement un ver, un poisson, un lézard, une sorte de sarigue, un petit singe, un vrai petit singe couvert d'un duvet tout soyeux, qui tombe avant la naissance du bébé tout rose ! Et il n'y a là rien que de très simple, de très logique, de très naturel. » Rien de très cru, pourtant la pudibonde *Revue scolaire* a supprimé les illustrations que ce père montrait à son fils ! Surtout, papa écrit mieux que maman. « Ma mère faisait des fautes d'orthographe. Mon père aucune. Il envoyait aux HLM des demandes sans fautes qui revenaient sans HLM. On restait mal logés », raconte avec malice Daniel Picouly dans *La faute d'orthographe est ma langue maternelle*.

Papa poule n'a pas sa place dans les manuels de dictées. Le père punit, il corrige. Il reste le coq dominant de la basse-cour, qui monte sur ses ergots quand l'élève fait le pitre à ses heures, à ne pas confondre avec Pîtres dans l'Eure. Le papa des dictées est l'allié de l'instituteur, pour que les écoliers n'oublient ni l'accent circonflexe ni leur quotidien.

Lucien fait des grimaces en classes pour amuser ses camarades. Mais son père le punit sévèrement. Il dîna seul dans sa chambre avec du pain sec.

A. Mironneau, *La Grammaire par les textes et par l'usage*, 1929

Si Lucien a fait des bêtises à l'école, son père redouble la punition à la maison. Le père qui aime son fils veille sur sa conduite et le corrige de ses défauts. Maman, elle, est consubstantiellement douce. Avec un néologisme, elle « bienveille », en permanence. À toutes les époques, elle est très occupée, dès potron-minet.

Maman s'éveillait toujours la première, bien avant le jour en hiver. À travers les derniers nuages du sommeil, nous l'entendions errer doucement dans la maison. Un peu plus tard, elle descendait dans la rue pour acheter le pain. Nous savourions en hâte les dernières minutes de repos. À peine de retour, maman nous embrassait pour nous encourager au réveil.

M. Pieuchard, *100 nouvelles dictées au C.E.P.*, 1965

Les enfants partis, elle vaque et s'affaire sans attendre 1966, quand la loi l'autorise à exercer une activité professionnelle sans l'accord de son mari. Ce n'est qu'en 1970 que l'autorité paternelle est enfin remplacée par l'autorité parentale. À toutes les époques elle est le grillon du foyer.

C'est elle qui tient la maison propre et soignée ; c'est elle qui raccommode les vêtements de tous les siens quand ils sont déchirés ; c'est elle qui fait la cuisine et pourvoit à ce que ton père trouve, aux heures des repas, une soupe chaude toute préparée ; c'est elle

111

qui surveille l'emploi de tout l'argent de la maison, regardant à un sou inutilement dépensé, et qui, par cette économie sage, fait que le pain ne manque jamais, et qu'il reste toujours, au fond de l'armoire, quelques pièces blanches pour payer, en cas de maladie, la visite d'un médecin.

L'École et la famille. Journal d'éducation, d'instruction et de récréation, 15 novembre 1921

Elle ne fait pas que tenir la maison, elle est la maison. Pour arriver à un tel degré de perfection, il convient de bien éduquer les filles.

Il y a quelques années, vous trouviez très amusant de jouer au ménage ; vous faisiez la cuisine de vos poupées. Lorsque vous serez grandes et mères de famille, vous tiendrez un vrai ménage, et vous ferez la cuisine pour d'autres que pour des poupées. Ce sera beaucoup plus difficile. Les poupées ne se plaignent pas quand le dîner est mal réussi. Le mari sait très bien faire la grimace quand sa femme lui sert un mauvais plat.

Si la ménagère est ignorante en cuisine, si le dîner est toujours détestable, le mari ne tarde pas à prendre le parti d'aller manger au cabaret.

Revue de l'enseignement primaire, octobre 1908

Heureusement, si monsieur – qui dès lors ne mérite plus le nom de « papa » mais n'est plus qu'un mari – est parti au cabaret, la malheureuse ménagère est bien entourée et peut s'épancher auprès d'une confidente à la discrétion irréprochable. Il ne faut cependant pas attendre de bons conseils de la meilleure amie.

La meilleure amie des jeunes filles, c'est l'aiguille, l'aiguille à coudre, à broder, à tricoter [...] La lecture, la musique vous laissent souvent une impression charmante, profonde même parfois, mais ce n'est qu'une impression. (Ernest Legouvé, Nos filles et nos fils)

G. Gabet, *Grammaire française par l'image*, 1946

Les petites filles vont à l'école depuis la loi Falloux de 1850 mais leur instruction n'est devenue obligatoire qu'à partir de 1882. L'éducation des filles est essentielle comme cette dictée pour le certificat d'études en Aveyron.

Bienfaits de l'instruction

L'instruction émancipe et affranchit. L'ignorant est comme un aveugle à la merci de tous ceux qui veulent le conduire et l'égarer. Cultivez donc votre intelligence, puisque par là vous accroîtrez votre liberté.

Un second avantage de l'instruction, c'est qu'elle nous débarrasse des préjugés et des superstitions, ces deux fléaux de la vie humaine. L'ignorant accepte avec crédulité tout ce qu'on lui dit ; il est la victime d'une multitude d'erreurs qui troublent son existence.

En outre, l'instruction moralise. Une intelligence cultivée est plus en état qu'une autre de résister aux habitudes vicieuses. Enfin, par l'instruction on acquiert la justesse du jugement, le bon sens qui met à l'abri des erreurs pratiques, la prudence en un mot.

Chacun doit désirer s'instruire dans la mesure de ses forces et profiter de toutes les occasions pour apprendre ce qu'il ignore. Ces occasions sont de plus en plus fréquentes dans notre société moderne où partout s'ouvrent des cours d'adultes, des bibliothèques populaires.

> A. Viales, *La Première Année d'éducation et d'enseignement postscolaires des jeunes filles*, 1911

Les jeunes filles doivent être éduquées, parce qu'elles s'occupent des autres, de leur mari, de leurs enfants puis de leurs propres parents.

Utilité de l'instruction médicale des femmes

L'instruction médicale des femmes les mettra en état de lutter contre l'ignorance, les préjugés, les menées sourdes et ténébreuses du charlatanisme qui, sous toutes ses formes, circonvient les malheureux qui souffrent. Les médecins auront dans la maison, des auxiliaires précieux qui les aideront à conserver nos enfants et à en faire des hommes robustes et vigoureux.

Les femmes ayant reçu cette instruction sauront nous faire triompher des inoubliables maladies qui nous guettent dans l'enfance, dans la jeunesse, dans l'âge mûr, dans la vieillesse ; elles nous aideront à reculer les bornes de la vie humaine.

Le biologiste dans son laboratoire, le médecin au lit du malade, travaillent à cette grande œuvre, mais c'est à la femme, qu'est réservé le rôle obscur, ingrat, mais absolument capital de l'exécution individuelle et pratique des données les plus élevées de la science : c'est le rôle de la femme de l'avenir. (Dr Masse)

A. Viales, *La Première Année d'éducation et d'enseignement postscolaires des jeunes filles*, 1911

La cause est noble et si importante qu'elle peut être confiée à un homme, Monsieur l'instituteur. Il quitte parfois sa vieille blouse pour une nouvelle, qui n'est pas celle de l'ouvrier mais celle de la ménagère. Colette décrit avec ironie l'aréopage studieux de petites filles, à la merci de Roubaud leur maître.

On sursaute, Roubaud a parlé dans le silence : « Épreuve d'orthographe, Mesdemoiselles, veuillez écrire : je ne répète qu'une seule fois la phrase que je dicte. » Il commence la dictée en se promenant dans la classe. [...]

Roubaud promène entre les tables son petit ventre rondelet et recueille nos copies qu'il porte à ses congénères. Puis il nous distribue d'autres feuilles pour l'épreuve d'écriture et s'en va mouler au tableau noir, d'une « belle main », quatre vers :

« Tu t'en souviens, Cinna, tant d'heur et tant de gloire, etc., etc. »

– Vous êtes priées, Mesdemoiselles, d'exécuter une ligne de grosse cursive, une de moyenne cursive, une de fine cursive, une de grosse ronde, une de moyenne ronde, une de ronde fine, une de grosse bâtarde, une de moyenne et une de fine. Vous avez une heure.

Colette, *Claudine à l'école*, 1900

Ce n'est pas le moindre des paradoxes des dictées que de voir coïncider la volonté d'émancipation avec les clichés les plus réactionnaires sur les femmes... et par conséquent sur les hommes. Ainsi, en 1911, les petites Françaises exercent leur orthographe sur le texte suivant :

Dès que les portes des écoles se sont entr'ouvertes devant elle, la jeune fille les a franchies avec empressement. Elle a étudié moins pour savoir que pour comprendre le monde dans lequel elle vit, en vue surtout d'assouplir ses facultés, d'aider à leur développement, par suite d'exercer dans la famille et dans la société une action plus éclairée; souvent aussi elle a étudié pour acquérir un gagne-pain.

Mais, quel que soit le motif qui la guide, elle ne se contente plus du demi-jour intellectuel dans lequel on l'a si longtemps maintenue, elle aspire au plein jour de la raison.

Qui ne voit l'heureuse influence morale de cette discipline intellectuelle ? Habituée à réfléchir, à donner son avis personnel, motivé, sur les faits, les hommes, la jeune fille s'accoutume à s'interroger, à suspendre son jugement, à se diriger non d'après une impulsion irraisonnée, mais selon une idée, un principe, une règle. Elle juge à leur valeur les soi-disant obligations mondaines; elle les accepte sans s'y asservir. Elle sait se réserver du temps pour les travaux, les exercices, les promenades, les lectures qui lui plaisent.

Elle s'intéresse à la vie politique et sociale. Comment en serait-il autrement puisqu'elle a étudié l'histoire et que ce qui se passe sous ses yeux n'en est que le prolongement? (Mme A. Eidenschenk, extrait de Petits et Grands Secrets de Bonheur)

A. Viales, *La Première Année d'éducation et d'enseignement postscolaires des jeunes filles*, 1911

Plus doux, plus lénifiant que maman, il y a mamie, bonne-maman pour les classes aisées. Son acolyte, « papi » (ou « papy »), le « papet », s'il n'a pas cassé sa pipe, n'a plus rien du Jupiter tonnant qu'il a pu être lorsqu'il était papa. Il est une sorte de mamie bis, en plus barbu mais sur ce point il est parfois battu. Il ne fait pas la cuisine mais il est tout autant gâteau. Papi et mamie, disponibles, sages, intrinsèquement vieillots, sont les véritables héros de nos manuels d'orthographe. Les voici dans les mots de Simone de Beauvoir :

Bonne-maman avait des joues roses, des cheveux blancs, des boucles d'oreilles en diamant; elle suçait des pastilles de gomme, dures et rondes comme des boutons de bottines, dont les couleurs transparentes me charmaient ; je l'aimais bien parce qu'elle était vieille [...]. Rouge, le crâne poli, le menton sali d'une mousse grisâtre, bon-papa me faisait consciencieusement sauter sur le bout de son pied, mais sa voix était si rugueuse qu'on ne savait jamais s'il plaisantait ou s'il grondait. Je déjeunais chez eux tous les jeudis ; rissoles, blanquette, île flottante ; bonne-maman me régalait. Après le repas, bon-papa somnolait dans un fauteuil en tapisserie, et je jouais sous la table, à des jeux qui ne font pas de bruit. Il s'en allait. Alors bonne-maman sortait du buffet la toupie métallique sur laquelle on enfilait, pendant qu'elle tournait, des ronds de carton multicolores.

M. Pieuchard, *100 nouvelles dictées au C.E.P.*, 1965

Inoffensifs, les grands-parents sont bons et heureux, heureux et bons parce qu'ils sont vieux. Il faut par conséquent les aimer, jusqu'à la lie. Sur le tard, lorsque les parents restent un peu des enfants, un soupçon de critique voit le jour, et encore celui-ci vient de la génération intermédiaire, comme dans ce brevet blanc de 2008 :

Ils s'emparaient complètement de leur petit-fils, décidant de tout à son propos, comme si j'étais restée une petite fille incapable de s'occuper d'un enfant. Accueillant avec doute les principes d'éducation que je croyais nécessaires, faire la sieste et pas de sucreries. On mangeait tous les quatre à la table contre la fenêtre, l'enfant sur mes genoux. Un beau soir calme, un moment qui ressemblait à un rachat. (Annie Ernaux, *La Place*)

Idéale, désincarnée, la famille des dictées n'évolue pas, ou si peu que cela ferait presque peine, ou peur. De fait, il ne lui arrive presque jamais rien, ni drame, ni accident, ni tragédie, ni révolution : personne ne meurt, pas même les animaux domestiques. La mort, c'est dans la littérature, le mythe, le conte de fées : ce sont Tristan ou le meunier du Chat botté qui connaissent le noir trépas, jamais maman ou papa... sinon à la guerre. Malgré l'abondance et la difficulté du français pour décrire une personne, la famille des dictées demeure sans visage, sans prénom. Papa, maman, papi (papy ?), mamie et les petits sont immuables, unis. Ils ne divorcent pas, cela va sans dire. Ils en deviennent immortels, modèles, poncifs solides qui s'émoussent avec douceur, de 1880 à 1980. Ce n'est que tardivement que la famille s'agrandit d'un nouveau membre : l'adolescent ! Celui-ci s'installe, timidement, sans tapage ni rébellion : dans la famille des dictées, l'adolescence se déroule en bonne entente, elle est un mauvais moment à passer, qui ne dure que « quelques années ».

L'adolescence fut pour Caroline une période difficile qui dura quelques années. Quoique ses parents aient su se montrer compréhensifs, elle vécut des moments douloureux, ne sachant quel choix faire ou adopter. Ayant renoncé à la harpe qu'elle avait pourtant longtemps étudiée, elle s'était lancée dans la guitare qu'elle avait ensuite rapidement abandonnée. Quels que soient

119

ses projets, ils semblaient voués à l'échec. Mais la personnalité qu'elle s'était ainsi forgée faisait d'elle une amie généreuse et chaleureuse.

Bled, *600 dictées Collège*, 2015

Si la famille dictée est toujours unie, les rapports entre parents et enfants changent, dans les formes tout au moins : le dialogue remplace l'obligation et la punition est évitable. Au final, l'autorité n'est guère plus discutable et seules la responsabilité ou la culpabilité se partagent : range ta chambre !

L'enfant se mit à pleurer. Sa mère poursuivit : « Tu n'as pas bien compris ce que je t'ai dit la semaine dernière ou bien tu n'as pas voulu le comprendre. Je n'ai pas voulu te faire de la peine, mais tu n'as pas tenu compte de ce que je t'ai demandé. Tu n'as pas mis tes affaires en ordre et on ne sait pas où se trouvent tes cahiers et tes livres. Ou tu ranges cette chambre aujourd'hui, ou tu seras puni. As-tu saisi cette fois-ci ? »

Bled, *600 dictées Collège*, 2015

Les dictées nous proposent une série de clichés, alors terminons par une photo de famille, de la famille Dictée, naturellement. Au centre, le père, austère, paysan agronome qui croise les bras ; à son côté la mère, souriante, pudique ; à gauche le grand-père, mâchoire relâchée et fourche au bras ; à droite la mamie, qui a oublié de retirer sa blouse pour la photo et en est toute gênée. Derrière, des enfants, des filles sérieuses serrant fermement leurs livres sur leur poitrine et des garçons à l'air malicieux. En arrière-plan, des ballots de blé proprement rangés : les foins sont passés, la récolte n'a pas été mauvaise, tout le monde est content. De saison en saison, d'une époque l'autre, les vêtements et les coupes de cheveux changent. Quelle que soit l'année, il faudra rentrer tôt ce soir : demain, il y a école.

Les zavoines
ou la moisson des fautes

L'hirondelle prend deux l car elle vole avec ses deux ailes.

La France est un pays rural. L'écolier s'en souvient chaque fois qu'il lui lèche le dos ou qu'il la glisse dans sa poche, pas la France, non, mais la Semeuse ! Avec son bonnet phrygien, la robe au vent et le geste élégant, elle apparaît sur les timbres et les pièces d'argent dès 1897 ; elle est toujours présente sur nos euros. La Semeuse côtoie Cérès, déesse des blés et des moissons, elle aussi super-mannequin agricole des timbres et des monnaies. Ces figures tutélaires d'une France rurale sont familières à l'écolier quand il retrouve, sur son *Petit Larousse*, la Semeuse qui « sème à tout vent ». Arrive alors l'instituteur, chantre des campagnes et « semeur de virgules », dans un argot évidemment fleuri.

Les bons princes ont toujours protégé et encouragé l'agriculture, qui est regardée avec raison comme la source la plus féconde de la prospérité et de la richesse des peuples. Henri IV, qui fut un de nos meilleurs rois, voulait que chaque paysan de son royaume pût mettre la poule au pot tous les dimanches. Il était bien secondé dans ses pensées généreuses par Sully, son ministre et son ami le plus fidèle et le plus dévoué. « Le labourage et le pâturage, disait Sully, voilà les deux mamelles dont la France est alimentée, les vraies mines du Pérou. » En effet, les biens que donne la terre sont les seules richesses inépuisables, et tout fleurit dans un État où fleurit l'agriculture.

G. Belèze, Dictées et lectures, 1869

Les deux mamelles de la France sont indémodables. Plantureuses et nourricières, elles traversent les régimes politiques avec une poule au pot, le labourage et le pâturage. C'est *Alma Mater* perchée sur une botte de foin. Un royaume, un empire ou une république se retrouvent dans l'évocation d'une France rurale, éternelle. Les gestes d'un papa paysan ne sont pas si éloignés de ceux de ses lointains ancêtres, du moins jusqu'à l'apparition des machines et de l'agronomie dans les campagnes.

Définition et importance de l'agriculture

L'agriculture est l'art de cultiver la terre et d'en tirer le plus de produits possibles, avec l'emploi des moyens les plus simples et les plus économiques, et sans nuire à la fécondité du sol.

Pour le cultivateur, l'agriculture est un art ; elle est une science pour l'agronome, c'est-à-dire pour l'homme qui médite, qui perfectionne, qui prend le fait comme point de départ pour l'exploration de sa pensée, pour l'application de ses théories. L'origine de l'agriculture remonte à celle de l'humanité. Après sa chute, Adam fut condamné à manger son pain à la sueur de son front [sic], et dès lors il se trouva dans la nécessité de faire de la culture de la terre sa première et principale occupation, et par là d'être agriculteur.

F. Astier, *Recueil de dictées, leçons et problèmes sur l'agriculture*, 1876

Avec ses paysans et ses bergers, ses champs de blé et ses moutons, la France fantasmée donne la part belle au monde rural. Fermes, hameaux, sabots, binettes : tous les clichés sont mobilisés, quitte à dicter des extraits de *Jacquou le Croquant*, roman triste d'Eugène Le Roy, mais avec l'objectif de réviser les conjugaisons multiples.

Le cultivateur

Mon ami, je te conseille de te faire cultivateur. C'est le premier de tous les états : c'est le plus sain, le plus libre. Tu travailleras le jour avec Pierre. C'est un bon ouvrier terrien qui te montrera à labourer, sarcler, biner, faucher et le reste. Tu coucheras ici, parce que, le soir, je pourrai encore te donner quelques leçons et t'enseigner les choses qui te seront utiles plus tard. Nos braves gens du pays disent qu'il n'est pas besoin de savoir tant pour cultiver la terre ; mais ils se trompent.

G. Gabet, *Grammaire française par l'image*, 1946

La ferme prend un tout autre aspect quand elle reflète la vision de l'institutrice ou de l'instituteur soulagé d'avoir échappé à la vie aux champs : l'École normale a offert une ascension sociale à ces enfants de paysans. En 1900, Claudine va à l'école et Colette décrit le parcours difficile pour devenir institutrice, une vocation qui nécessite des sacrifices, « mais, au moins, elles porteront un chapeau, ne coudront pas le vêtement des autres, ne garderont pas les bêtes, ne tireront pas les seaux du puits et mépriseront leurs parents ; elles n'en demandent pas davantage ». L'examen du certificat d'études à Coligny, dans l'Ain, en juin 1954, s'arrête sur les structures agraires : le hameau est présenté coupé du monde, presque angoissant par son isolement et son silence. Il ressemble au décor d'un film d'horreur car, ici, la ferme se tait et les routes s'enfuient.

La vie dans les hameaux

C'est surtout dans les hameaux que règnent le silence et la lenteur. Les fermes sont isolées les unes des autres, elles n'aiment pas le voisinage de la route et s'en éloignent tant qu'elles peuvent. Si elles en sont proches, elles ne la regardent pas en face, elles lui opposent leurs pignons ou même lui tournent le dos. Vous pouvez traverser un hameau sans apercevoir âme qui vive. La femme est occupée à faire son beurre ou son fromage à la cave, l'homme à charrier ou répandre le fumier, à tailler un arbre ou une haie, à passer les bêtes d'une pâture dans une autre. Il ne s'entend pas marcher, l'herbe étouffant le bruit de son pas. Personne ne sort de la ferme si ce n'est les jours de marché.

Recueil de 100 examens complets proposés au C.E.P.E., 1954

Pour les auteurs de dictées, la ferme est le lieu de vie des petits Français, dans un temps pas si lointain où quelques vaches, de gentilles poules et de malins lapins suffisent à faire vivre toute la famille, élargie aux grands-parents, avec quelques ouvriers agricoles et une servante. La ferme rassure, à l'instar de l'école, de l'église et de la mairie. Dans les dictées, puisqu'elle abrite la cellule familiale et indique la richesse du pays, la ferme est bien entretenue. Elle est si riche que Robert Mauduit, quand il prépare le certificat d'études, lui prête trentes (*sic*) chevaux.

La cour, immense, entourée de cinq rangs d'arbres magnifiques pour abriter contre le vent violent de la plaine les pommiers trapus et délicats, enfermait de longs bâtiments couverts en tuiles pour conserver les fourrages et les grains, de belles étables bâties en silex, les écuries pour trentes chevaux, et une maison d'habitation en brique rouge, qui ressemblait à un petit château.

Les fumiers étaient bien tenus ; les chiens de garde habitaient en des niches, un peuple de volailles circulait dans l'herbe haute.

Chaque midi, quinze personnes, maîtres, valets et servantes, prenaient place autour de la longue table de cuisine où fumait la soupe dans un grand vase de faïence à fleurs bleues. (Guy de Maupassant)

Robert Mauduit, 10 mai 1958, école de La Graverie (Calvados)

Le décor posé, il faut maintenant y mettre de la vie. Voici donc les habitants de la ferme : le papa, la maman, autrement dit le fermier et la fermière, mais aussi tous ceux que l'écolier croise au quotidien. Les dictées reflètent une société désormais disparue, où la domesticité est une composante essentielle du vécu des petits Français. Il est alors question de l'intendant, de l'homme de peine, de la bonne à tout faire – la merveilleuse bonniche – et de la vieille servante.

Une vieille servante

La Péquinotte, qui devait bien friser la soixantaine, rouge, râblée, le poil gris, raide comme le crin, avait accaparé les gros travaux domestiques. Elle lavait les carreaux, coupait le bois, allumait le feu, coulait la lessive, cassait les olives, salait le jambon, fumait le lard, repassait le linge, cuisait les confitures, servait la pâtée aux chiens, étrillait la mule, bêchait le potager et ne refusait jamais de donner un coup de main, quand on battait le blé en juillet, sur l'aire brûlante. Moyennant quoi elle s'était arrogé le droit de tout dire, et particulièrement ce qui lui semblait désagréable à entendre. Le plus souvent elle se plaignait. Rien ne pouvait la satisfaire. Elle avait un haut sentiment de la perfection. C'est pourquoi elle grondait le cochon, gourmandait la chèvre, morigénait

127

la volaille et couvrait le chien de reproches. Parfois même, elle s'en prenait avec violence à l'invisible, elle insultait les vents qui ne soufflaient pas à son gré. (Henri Bosco)

M. Grevisse, *Corrigé des exercices de grammaire française*, 2005

La ferme forme un tout, avec des espaces bien identifiés, où chacun a sa place. Le logement principal abrite le fermier et sa famille ; dans la cuisine travaille la Péguinotte ; dans la grange se trouve l'ouvrier agricole ; Eusèbe le jardinier, lui, est bien sûr dans le potager. Ce petit espace de culture est à l'image d'une société idéale, bien ordonnée et prospère.

À la découverte du potager

Les enfants arrivèrent au potager. Un potager bien arrosé, retourné avec grand soin.

Il y avait des cordons de poiriers nains, des lignes régulières de verdure, des espaliers, un jet d'eau tournant qui dispersait un arc-en-ciel, des bordures d'estragon et de thym dont on se parfumait les mains au passage.

Un très grand désir ramenait toujours les enfants au potager, mais toujours ils y trouvaient Eusèbe, le jardinier, qui les chassait en brandissant sa bêche...

Certificat d'études, 1982, Aude

À la ferme, il faut savoir tout faire. Le paysan est tour à tour vétérinaire, maçon, charpentier et mécanicien. À côté du paysan, les gens de métier fascinent :

le facteur, le boulanger ou encore le menuisier sont des héros. Chacun a son costume, ses superpouvoirs et souvent une double identité puisque, après ses exploits, il ressemble à un homme normal hormis les copeaux de bois qui parsèment sa chevelure.

Le menuisier Charles Duclos fabrique des meubles pour la maison de son voisin. En ce moment, il achève un buffet. Louis est fier d'entendre dire que son père est un ouvrier habile.

A. Mironneau, *La Grammaire par les textes et par l'usage*, 1929

Dans la lutte séculaire entre le travail intellectuel et le travail manuel, la posture de l'instituteur est délicate. Il doit célébrer la noblesse du travail aux champs tout en glorifiant l'école. Le meunier est alors mobilisé mais il ne dort pas puisqu'il faut travailler l'adjectif qualificatif.

Les petits enfants trouvent le métier de meunier amusant. Mais, bientôt, il leur paraît pénible et rebutant. Les sacs sont lourds et les jeunes apprentis se fatiguent vite. Comme ils regrettent la maison paternelle si accueillante et si paisible !

L. Dumas, *Le Livre unique de français*, 1934

La maison paternelle est-elle si paisible quand il faut prendre part aux travaux de la ferme ? Les enfants travaillent jeunes. Si l'âge de douze ans est imposé en 1874, cela concerne surtout les usines et les mines. À la ferme, dès que l'enfant peut porter un seau, il aide, tant les tâches ménagères et agricoles sont proches. Les lois scolaires imposent de nouvelles limites d'âge. La loi Ferry du 28 mars 1882 rend l'école obligatoire pour les enfants de six à treize ans, obligation étendue jusqu'à quatorze ans en juillet 1936 puis à seize ans en janvier 1959. La réalité est bien différente et les travaux des champs font concurrence à l'école, quand il faut participer à la moisson ou aux vendanges. Dans tous les cas, la consigne est la même : « Soyez précis ; employez le mot propre. »

On vendange. Une côte caillouteuse monte dans le ciel implacablement bleu, toute grise et toute violette... Sous l'abri de quelques feuilles recroquevillées et écarlates, des grappillons brillent comme des perles noires. L'écho retentit des sabots d'une vendangeuse. On la voit, d'une main abaissant son chapeau de paille sur les yeux. (Frères Goncourt)

G. Gabet, *Grammaire française par l'image*, 1946

Nul besoin d'être un cancre pour savourer les plaisirs de la vie en plein air qui rivalise avec le temps austère de la dictée. Au début de l'automne, les derniers beaux jours détournent l'attention et rallongent le chemin de l'école quand est venue la saison de la cueillette des pommes.

La cueillette des pommes
Le plus souvent, Pierre et Jean prenaient un chemin creux qui longeait les prairies en descendant

jusqu'à une petite rivière dont les bords étaient plantés de peupliers.

Tout à coup dans le silence du soir, ils distinguèrent des voix, ils entendirent remuer des branches et, au-dessus de la haie, ils découvrirent entre les feuilles, grimpés dans un pommier, deux garçons qui gaulaient des pommes.

Tout autour, riant et jacassant, sous l'avalanche rebondissante et dure, des filles les ramassaient.

Courbées en deux, elles les prenaient d'un geste vif comme des poules picorent et les jetaient dans leur tablier replié.

Quand il était plein, elles en vidaient le contenu dans un seau qu'elles allaient ensuite porter à un tombereau arrêté à quelque distance.

M. Pieuchard, *100 nouvelles dictées au C.E.P.*, 1965

Les petits travaux de la ferme sont des jeux face au sérieux de l'école. Dans la salle de classe, l'élève est asservi, contraint à rester toute la journée assis à la même place et à obéir au maître qui dicte – ô ironie – la description d'un royaume où l'enfant serait roi. Voilà ce que subissent les candidats à l'épreuve du brevet d'études du premier cycle, à Nice, en 1977.

Roi en sabots

Mes parents travaillaient tout le jour... Je fus donc élevé par une grand-tante maternelle dans un village, à huit kilomètres de la ville, où je demeurai jusqu'à cinq ans.

Ces cinq années à la campagne furent mon premier règne. Les limites imprécises de mon domaine le rendaient illimité. Il était partout sous le ciel...

Les campagnes autour de nous étaient indulgentes. On n'y voyait rien qui pût faire peur. Point de hautes montagnes, point de larges fleuves. La ferme, dans l'ombre d'un noyer, au versant d'un coteau, se composait d'une grande chambre et d'une étable, où le souffle des bêtes se mêlait à l'haleine des hommes. La porte et la fenêtre basse ne laissaient entrer que peu de jour. Les longs bahuts cirés, les longues tables lisses luisaient à peine. Il faisait frais et doux. Dehors s'étendaient des prairies placides. Les ruisseaux qui les arrosaient étaient de ceux qui se laissent commander et qu'une main d'enfant détourne. Ils portaient mes vaisseaux et faisaient tourner mes moulins. Les bœufs, les bonnes bêtes, lentement me tiraient le long des chemins, comme un roi fainéant, juché sur les gerbes. Le chien courait pour mon plaisir. J'étais heureux enfin. Tout m'aimait. Ma tante m'appelait « mon petit roi »... Jamais je ne fus sur la terre un personnage plus important qu'en ce temps-là. (Jean Guéhenno, *Journal d'un homme de quarante ans*)

Brevet d'études du premier cycle, 1977

Dans la ferme de la dictée, le garçon est un petit roi mais la fillette n'est pas en reste. Sans être appelée à régner – puisque, c'est bien connu, les filles ont peur de ces bestioles velues –, elle se voit confier des responsabilités qui peuvent surprendre dans notre monde où faire du vélo sans casque et sans genouillères confine à l'inconscience. Au certificat d'études en 1965, la petite fille accompagne les vaches. Mazette ! c'est gros une vache mais Marie est heureuse.

Marie se sentait heureuse de retourner au champ. Le vieux chien Faraud l'accompagnait. Les vaches marchaient en une longue file docile et lente. La première en tête, la plus ancienne de la ferme, les menait toutes. C'était une grande bête rouge et blanche avec de hautes pattes maigres. Elle devait connaître très bien les chemins jusqu'aux deux carrefours : elle suivait le bon sans hésiter jusqu'aux champs de la vallée. Lorsque les vaches y furent, elles s'éparpillèrent, se mirent à brouter tranquillement. A terre, Marie, trouva quelques noisettes tombées ; cela lui donna l'idée d'entrer dans le bois, pour voir s'il y en avait encore : il n'en restait plus une seule, aux branches jaunies.

Certificat d'études, 1965

La proximité des enfants et de la nature est une constante qui s'étiole seulement au XXe siècle, comme l'avait souligné le pédagogue Coluche quand il évoquait la forme de nos poissons : carrés, avec des yeux dans les coins. La dictée est l'occasion de faire l'inventaire orthographique des animaux de la ferme où, hélas, les volailles ne se contentent pas d'une seule basse-cour : il leur en faut plusieurs, avec un pluriel difficile déjà en 1846 !

Les fermiers et les fermières ont dans leurs étables des bœufs, des vaches, des porcs, des moutons, etc. ; dans leurs basses-cours et dans leurs volières, des dindons, des coqs, des poules et leurs poulets, des canards et des canes, avec leurs canetons et leurs canettes ; des oies, des pigeons, des tourterelles, etc.

Ma bonne Catherine, voulez-vous arracher tous ces clous, ils font des trous à mon tablier ? Tenez, voici un marteau, – et puis des aiguilles pour me raccommoder.

Mme É. Charrier, Cours complet
d'orthographe, 1846

La dictée est un imagier qui déborde d'animaux de la ferme, compagnons de tous les jours qu'il faut soigner avant qu'eux-mêmes nous nourrissent. La star de ce bestiaire est sans aucun doute le cochon chez qui tout est bon. C'est l'autre révélation de Paul Claudel, non derrière un pilier de Notre-Dame mais devant une porcherie !

Le porc

Je peindrai ici l'image du porc. C'est une bête solide et tout d'une pièce ; sans jointure et sans cou, ça fonce en avant comme un soc. Cahotant sur ses quatre jambons trapus, c'est une trompe en marche qui quête, et toute odeur qu'il sent, y appliquant son corps de pompe, il l'ingurgite. S'il a trouvé le trou qu'il faut, il s'y vautre avec énormité. Ce n'est point le frétillement du canard qui entre à l'eau ; ce n'est point l'allégresse

134

sociable du chien ; c'est une jouissance profonde, solitaire, consciente. Il renifle, il sirote, il déguste et l'on
ne sait s'il boit ou s'il mange ; tout rond, avec un
petit tressaillement, il s'avance et s'enfonce au gras
sein de la boue fraîche ; il grogne, il jouit jusque dans
sa triperie, il cligne de l'œil. (Paul Claudel)

M. Pieuchard, *100 nouvelles dictées au
C.E.P.*, 1965

Les écoliers des petites classes prennent, sous la
dictée, la mise en mots de ce qu'ils voient tous les
jours dans le poulailler. Avec un panier qu'on imagine aisément en osier, ils font la chasse aux œufs
et aux accords.

La poule qui couve

Pendant vingt et un jours, elle reste accroupie sur
les œufs, sauf les rares moments qu'elle accorde,
comme à regret, au besoin de la nourriture. Sa seule
distraction, en ce profond recueillement, c'est de retourner les œufs toutes les vingt-quatre heures et de les
changer de place, ceux de la circonférence au centre,
et ceux du centre à la circonférence.

J.-H. Fabre, *L'École et la famille. Journal
d'éducation, d'instruction et de récréation*,
1er et 15 septembre 1937

Pour les petits Français, la dictée est l'occasion
d'un enseignement agronomique et positiviste. Elle
lutte contre les superstitions et les idées reçues. La
science des engrais, des assolements et des progrès

de l'agriculture n'est pas grand-chose si les mauvaises habitudes demeurent. C'est donc dès le plus jeune âge qu'il faut défendre les animaux utiles. De tous, c'est sans doute la chauve-souris qui en a le plus profité : de démon cloué à la porte de la grange, elle est devenue superhéros, c'est bath !

Les animaux utiles

Au tort de juger trop souvent des gens sur leur mine, nous joignons celui d'agir de la même façon envers les animaux. Il en est un grand nombre que nous haïssons et que nous abhorrons sans motifs, et ce sont précisément la plupart de ceux qui nous rendent les plus grands services. Que de personnes éprouvent pour les chauves-souris la plus vive répulsion ! et cependant ces pauvres bêtes nous sont fort utiles ; elles ne se nourrissent que d'insectes qui vivent à nos dépens ; elles nous débarrassent des papillons de nuit, des hannetons, des cousins, des moustiques dont les larves dévorent nos cultures. N'importe, elles n'en sont pas moins vouées à l'exécration générale. On prétend qu'elles s'attachent aux cheveux des hommes endormis, qu'elles sucent quelquefois leur sang, et ces croyances erronées suffisent pour que, sans examen, nous leur fassions une guerre d'extermination. Voilà comment nous savons récompenser ces puissants auxiliaires de nos laboureurs. Mais d'où vient l'aversion aveugle dont nous les poursuivons ? Uniquement de ce que ces pauvres animaux offrent des formes insolites, et de ce que nous considérons comme laids les types auxquels nos regards ne sont pas accoutumés. Ayons le courage d'ouvrir les yeux une bonne fois pour contempler les chauves-souris, et nous nous assurerons qu'il n'y a en elles rien de surnaturel, rien de diabolique.

L. Leclair, *Nouveau cours de dictées*, 1872

Tous les animaux ne sont pas utiles. Avez-vous déjà participé à une collecte de hannetons ou de doryphores ? De nombreux écoliers, eux, ont vécu cette étrange aventure. Le hanneton s'attaque à tout, des racines de céréales aux betteraves, avec ses régiments de mans, appelés aussi vers blancs, leurs terribles larves. Le doryphore, lui, se spécialise dans la pomme de terre. Puisqu'il faut les éliminer, les écoles rurales deviennent de petites casernes qui regroupent des bataillons d'élèves. Pour une campagne de hannetonnage, tout le territoire est quadrillé, du jardin de mémé au chemin de l'école. Gloire au valeureux chasseur qui arrive en classe avec une boîte pleine de ces hannetons dévoreurs. En Corrèze, le 4 juin 1954, les candidats au certificat d'études se penchent, en dictée, sur la question.

Guerre aux hannetons ! Au début de la saison, les hannetons éclosent en grand nombre. La Préfecture décida d'attribuer des primes aux destructeurs de hannetons. La circulaire passa dans les écoles. Là-dessus, le maître nous lança sur le sentier de la guerre. Ce fut un beau massacre. Sans cesse, des bandes de policiers de dix ans firent des recherches dans les haies. Ils y cueillaient par centaines les malfaiteurs...

Quand les gibernes étaient pleines, ils les vidaient dans un sac que traînait le plus alerte. Ils rentraient triomphants, avec un butin de mille cadavres de hannetons et d'un vivant, qui tournait, retenu par la queue au bout d'un fil et qui ronflait comme une hélice. (René Jouglet)

Recueil de 100 examens complets proposés au C.E.P.E., 1954

L'enseignement de l'art agricole à travers les dictées n'a pas subi de transformations majeures, en tout cas moins que l'agriculture elle-même. La perception d'une France rurale, telle qu'elle est figée dans les dictées, s'est éloignée de la réalité au fur et à mesure que l'agriculture a évolué. Aujourd'hui, elle paraît exotique : un pays couvert de champs avec des paysans en sabots et des chevaux pour les labours est un autre monde pour les enfants de nos campagnes ; quant aux enfants des villes qui ne peuvent profiter du potager familial, ils doivent se contenter, au mieux, du jardin scolaire pour une leçon de choses. La France est restée rurale dans les esprits. En battant la campagne à travers les dictées, on se demande pourquoi les Français sont partis en ville. Ingrats !

Du rat des champs
au rat de ville

Adam part pour Anvers avec deux cents
sous sûrs (à dans par pour en vers avec
de sans sous sur).

La France des dictées est celle de l'exode rural.
Quelques années avant l'acte de naissance officiel
du certificat d'études en 1866, la France rurale a
connu son apogée : en 1850, il n'y a jamais eu autant
d'habitants dans les campagnes. En 1989, lorsque
discrètement disparaît le certificat d'études, il n'y en
a jamais eu aussi peu. Les dictées s'en ressentent.
Elles narrent l'épopée migratoire de la terre au
fer, de la campagne à la ville. Elles la racontent à
leur manière, c'est-à-dire avec un peu d'histoire et
beaucoup de rêverie, construisant une légende, une
légende urbaine.

Avec la ville, les auteurs de dictées quittent
l'image d'Épinal, naïve, vive, enfantine, pour explo-
rer les arabesques tourmentées du fantasme. La ville,
tout d'abord, c'est une fumée au loin, un mirage,

139

inaccessible, une vitrine féerique et illuminée comme celle des grands magasins.

De superbes magasins bordent les boulevards et les principales rues de notre grande capitale. Des foules curieuses, composées surtout d'enfants, de femmes, d'oisifs et d'étrangers, s'amassent à chaque instant devant les larges vitrines des boutiques parisiennes pour admirer les mille chefs-d'œuvre de l'industrie moderne : cristaux, bijoux ornés de diamants et de pierreries, qui resplendissent, le soir, à la lueur des becs de gaz ; meubles précieux incrustés de nacre et d'ivoire ; bronzes, glaces, émaux, porcelaines ; tableaux, statuettes, fleurs artificielles, étoffes soyeuses, tapisseries. C'est véritablement un magnifique spectacle que celui de tant de merveilles !

MM. Coudert et Cuir, *Mémento pratique du certificat d'études primaires. Livre du maître*, 1920

Cette ville qui fait rêver, la Ville, c'est Paris. Marseille, Lyon, Bordeaux sont moins représentées. Le Paris dépeint est un Paris mythique, qui n'a jamais réellement existé : c'est le Paris d'Haussmann et de Zola, avec « eau et gaz à tous les étages » certes, mais sans frontière chronologique précise, comme tous les âges d'or. Dans les rues pavées, des calèches, des grisettes et des crieurs de journaux tentent de survivre au gris mastodonte parisien. De 1850 à nos jours, il ne vieillit jamais, ou à peine. Les nouvelles constructions semblent toujours être celles d'Haussmann et c'est à se demander si la tour Eiffel a jamais été construite ! *Le Ventre de Paris* est celui d'Émile Zola, qui reste dans nos dictées le Fort des Halles incontesté, écrasant l'ancien Forum et la nouvelle Canopée.

Juste derrière le *Ventre*, le *Spleen de Paris* est l'autre étoile, noire, de la dictée parisienne. Dans un cas comme dans l'autre, nous restons dans le viscéral, ainsi que dans la chimère. Telle une brochure de voyage destinée à attirer les touristes, Paris est aussi la Ville Lumière.

Vous êtes bien petits, et pourtant on vous a menés au théâtre voir des féeries ; vous avez vu des salles de concert, vous avez assisté à des repas de noces, où jamais les enfants ne devraient être conduits ; vous avez vu les fêtes publiques, lorsqu'au faîte des monuments sont allumées les illuminations en banderolles [sic], en festons, en girandoles, tout cela c'est le gaz. En vérité, si le soleil avait été jaloux, il eût envié le sort de la nuit, de la nuit si bien éclairée.

L. Debierne-Rey, *Dictées de l'enfance*, 1875

Fascinante, scintillante, la capitale brille de mille feux et de mille fêtes, mais ces lumières sont artificielles et les lendemains sont aigres de désillusions baudelairiennes : ce monde rayonnant de métal et de pierre, mieux vaut l'observer le matin car, rapidement, il est sale.

Aussitôt, comme à un signal attendu, des fenêtres s'ouvrent. Des gens font du bruit dans les maisons. Des ménagères en cotillons courts vont chercher le lait

141

chez la crémière. Les petites marchandes qui reviennent des Halles commencent à circuler avec leurs petites voitures pleines de légumes et de fleurs. Les carrioles de maraîchers regagnent la barrière à grand bruit.

Tout le monde au travail !

Bientôt c'est un brouhaha indescriptible. La circulation des voitures a recommencé. Des ouvriers en blouse et en bourgeron bleu partent à leur travail. Toutes les boutiques se sont ouvertes les unes après les autres. Après les ouvriers, ce sont les employés qui regagnent leur poste, puis les ouvrières qui se précipitent à la suite des tramways pour ne pas être en retard à l'ouvrage, enfin les écoliers qui partent pour l'école. Cependant le soleil continue à monter dans le ciel, jetant parmi la ville ses rayons d'or. Mais la ville ne sent déjà plus la fraîcheur matinale ; déjà la poussière emplit tout.

Revue de l'enseignement primaire, décembre 1908

Des grandes villes en général, et de la capitale en particulier, mieux vaut se méfier. Horace et La Fontaine l'avaient pourtant sermonné et l'écolier doit se le rappeler à l'heure de la dictée : *rusticus mus* est plus heureux que le rat de ville. Restez aux champs !

Depuis une cinquantaine d'années, les populations rurales émigrent vers les villes ; elles abandonnent la vie des champs pour aller chercher dans l'industrie une meilleure rémunération de leur travail. Or, le travail de l'industrie est aussi pénible que celui de l'agriculture. Sans doute le salaire est plus élevé à la ville qu'à la campagne ; mais si l'ouvrier des villes gagne beaucoup, il dépense aussi beaucoup. Il paye cher pour sa nourriture, qui n'est pas toujours aussi bonne que celle du paysan, pour son logement, qui est toujours moins salubre et souvent moins commode que la plus modeste chaumière.

G. Manuel, *Cent dictées des examens du certificat d'études primaires*, 1916

Le rat des champs est beaucoup plus dégourdi, comme le souligne ce texte d'Auguste Villemot, gras chroniqueur du *Figaro*, donné en dictée au certificat d'études de 1909 :

Le Parisien prête énormément à rire dès qu'il a passé la barrière, ignorant de toutes les choses de la nature, il prend un chêne pour un noyer, un bœuf pour un rhinocéros, des carottes pour des betteraves, et, quand il rencontre une grenouille, qu'il prend naturellement pour un crapaud, il se sauve pour ne pas être empoisonné par la liqueur du batracien. Il pousse des exclamations naïves : Tiens, un homme qui laboure ! C'est étonnant comme il y a des cailloux dans la campagne ! Vos canards sont bien sales : vous ne les lavez donc pas ? (Auguste Villemot)

Revue de l'enseignement primaire, juillet 1909

Mieux vaut dire du mal de soi que de n'en point parler ! En quelques vils mots d'intéressantes difficultés orthographiques, Villemot condense la vision du citadin dans les dictées : le *mus urbanicus* est ridicule, maladroit et, parmi les citadins, l'habitant de la capitale l'est encore davantage. Il est un sous-paysan car, derrière l'évocation des villes, il y a toujours l'image idéale de la campagne, du « pays natal » que le citadin, une, deux ou trois générations plus tôt, a été contraint de quitter.

La nostalgie de la terre abandonnée est accentuée par l'évocation dantesque du monde industriel. Non loin du noir océan de l'immonde cité, se tiennent deux monstres dignes de la mythologie, la mine et l'aciérie. Descente aux Enfers...

L'exploitation des mines se fait quelquefois à ciel ouvert, mais le plus souvent elle se fait sous terre, et à des profondeurs très-considérables. On creuse des puits, on perce des galeries, et, comme il est rare que le terrain soit assez solide pour se soutenir de lui-même et ne pas produire d'éboulement, on est obligé de revêtir ces puits et ces galeries d'un boisage composé de cadres et de pièces de bois, ou d'un muraillement qui se fait soit en briques, soit en pierres taillées. La forme et les dimensions données aux puits des mines varient suivant l'usage auquel ils sont destinés ; le plus souvent ils sont ronds ou quadrangulaires, et ont de deux à quatre mètres de largeur. Les puits de grande dimension sont ordinairement divisés en trois compartiments, dont deux sont consacrés à l'extraction du minerai, tandis que le troisième sert à la fois aux pompes d'épuisement et aux échelles des ouvriers. Ces échelles, par lesquelles les ouvriers descendent dans la mine, sont appliquées aux murs des puits et scellées dans la roche ou le boisage. Les pompes sont destinées à épuiser les eaux qui filtrent souvent avec abondance dans les mines. Quand le minerai a été détaché, il est placé dans des chariots qui roulent sur des chemins de fer au fond des galeries et l'amènent à l'entrée des puits, où on le charge dans des tonnes ou bennes qui le montent à l'aide de machines.

G. Belèze, *Dictées et lectures*, 1869

En 1861, la catastrophe des mines de Lalle à Bessèges, où périrent noyés sous terre les quelque cent ouvriers prisonniers des tunnels, ou encore le coup de grisou de Montceau-les-Mines en 1867, et ses quatre-vingt-neuf victimes, ont marqué les esprits et contribué à bâtir la légende noire de la mine, plus noire que le charbon.

Quelle existence exceptionnelle que celle des mineurs ! Ensevelis à cent mètres sous terre, éclairés seulement par des lampes avec des globes revêtus de fer. Quelle vie... Pauvres mineurs ! Ils sont exposés aux feux grisous, feux du gaz de la mine qui asphyxie, qui tue... Pauvres mineurs ! ils sont exposés aux infiltrations des cours d'eau qui envahissent la mine comme des torrents.

Pauvres mineurs ! ils sont séparés du monde entier par des couches épaisses de terre, par des rochers, ils sont ensevelis vivants !

L. Debierne-Rey, *Dictées de l'enfance*, 1875

En 1875, Émile Zola n'avait pas encore écrit *Germinal*, mais il avait déjà à la mémoire quelques souvenirs traumatiques de dictées identiques : il rata par deux fois son baccalauréat et ses notes abondantes sont truffées d'étourderies orthographiques : « C'est la scène où les Grégoire se trouvent en face des ouvriers, de l'émeute. Leurs sensations, la logique qui les conduit. Et ce qu'ils penseront ensuite. C'est une scène capital [*sic*], dont le contrecoup se trouve à la fin. » Honte au capital, grand et petit !

À côté du gouffre de la mine, les ouvriers des aciéries obéissent aux sons stridents du sifflet des contremaîtres. Regrettant sans doute la pauvreté ou l'ambition qui les a exilés loin de leur terre natale, voici les damnés du fer dans les mots de l'ouvrier-écrivain Jean Pallu :

Des ombres s'agitaient, imprécises. Il y eut alors des coups de sifflet. Un être étrange se démenait devant un four, débouchant l'ouverture. Enfin, une traînée de feu ruissela le long d'une gouttière, disparut dans une poche immense qu'elle remplit avec un bruit de billes de plomb roulant sur une grosse caisse. Tout autour, des hommes clignaient des yeux, esquivaient des étincelles, les bloquaient avec leurs coudes.

Au loin, d'autres fours se profilèrent, que des démons grimaçants gavaient à la pelle, une cuisine d'enfer dans des reflets de métal fondu. (Jean Pallu)

M. Pieuchard, *100 nouvelles dictées au C.E.P.*, 1965

Pourtant, face à la « fourmillante cité pleine de rêves » et à ses « démons grimaçants », se tient la petite ville, magnifiée, portée aux nues. À l'opposé de la capitale du spleen, il y a la cité idéale, la sous-préfecture et ses pluriels improbables.

Nous avons eu dans notre ville, à propos des élections, une grande réunion où se trouvaient des hommes de toutes conditions, de divers corps d'états et de métiers ; il y avait de bons pères de famille, des hommes de journée, des hommes d'affaires, des chefs d'atelier, des hommes de lettres, des chefs d'établissement, des entrepreneurs de bâtiments, des maîtres d'école et de pension, des maîtres de langues, des maîtres de musique, des marchands de poisson, des marchands de harengs, des maîtres d'hôtel, des marchands de meubles et de nouveautés, des directeurs de compagnies d'assurance, des ingénieurs en chef, des généraux de brigade, de division, des chefs d'escadron, des fils de banquier, de notaire, d'avocat, des garçons de recette et de boutique, des hommes de loi, des cochers de fiacre, des directeurs de journal et de théâtre, des gens de loisir ayant les uns mille francs de rente et les autres plus de mille écus de revenu, des fabricants de sucre, des fabricants de bougies, des peintres de portrait, des peintres d'enseignes, des peintres de marine et d'histoire, des peintres en voitures, des peintres en décor et en émail, des peintres en bâtiment, des couvreurs en ardoise et en tuile, des hommes riches à millions ayant leur fortune en terres et d'autres possédant plus de cent mille francs en papier.

C. Juranville, *Dictées curieuses*, 1896

La ville modèle, celle qui a permis à M. l'instituteur de dicter avec autorité au centre de la classe, c'est elle, avec son École normale, ses boutiques proprettes et ses enseignes rutilantes. Dans la grand'rue se côtoient la « boulangerie », la « crémerie », la « charcuterie », plus rarement la « boucherie » : le boucher effraie et, comme dans les tragédies classiques, l'exhibition du sang est prohibée dans nos dictées. La ville est toujours synonyme de vitrines, mais celles de sous-préfecture sont petites, et pimpantes. Loin de la mégalopolis inquiétante et malsaine, il y a la petite ville, le gros bourg. Dans cette sorte de campagne, en plus moderne, chacun a sa place et fait preuve d'urbanité pour le meilleur de cette microfourmilière bien astiquée. C'est la France d'*Au bon beurre*, celle des petits commerçants et des notables, celle qui, en 1920, donne naissance à la fois à Pierre Poujade et à Georges Marchais. Comme tous les mythes, elle est difficilement datable, tout au plus peut-on dire qu'elle naît sous la plume de Flaubert, et que ses dernières braises se calcinent dans la pipe de Simenon puis de Chabrol.

Cette ville-là, qui tient plutôt du gros village, avec une mairie fleurie et sans doute des comices agricoles, mérite des éloges. Elle est l'occasion en effet de saluer l'industrie française, *made in France.*

La France est une des nations les plus industrieuses de l'Europe, et on peut même lui assigner le premier rang pour la qualité de la plupart de ses produits manufacturés. On évalue à plus de deux milliards de francs la masse des produits qui sortent tous les ans de ses manufactures et de ses fabriques. Les divers tissus de laine, les étoffes de coton, les tissus de lin et de chanvre, les soieries, sont les produits manufacturés qui représentent la valeur la plus considérable. L'industrie seule de la soie emploie en France cent mille métiers, dont la moitié travaille à Lyon et dans les environs ; vingt mille métiers tissent des rubans à Saint-Etienne et à Saint-Chamond. Paris est un grand centre de fabrication pour les meubles, les objets d'art et de goût, la bijouterie, l'horlogerie, la coutellerie, les bronzes, les papiers peints, la librairie, les tapis, le travail des peaux. Sedan, Elbeuf, Louviers, Lodève, sont renommés pour la fabrication des draps ; Rouen, Saint-Quentin, Lille, Roubaix, pour les tissus et les filatures de coton ; Mulhouse et Colmar, pour les étoffes imprimées ; Valenciennes, Douai, Alençon, Chantilly, pour les tulles et les dentelles ; Cambrai, Douai et la Bretagne, pour les toiles de chanvre et de lin ; Sèvres, Limoges, Montereau, pour la porcelaine et la faïence ; Marseille, pour le savon ; Châtellerault,

Langres, Thiers, pour la quincaillerie et la coutellerie ; sans parler encore d'une foule d'autres produits qui ont une valeur très-importante.

G. Belèze, *Dictées et lectures*, 1869

C'est vrai qu'ils sont doués à Douai et savants à Marseille : soyons fiers des villes, mais des villes des provinces, des « pays, des terres et des savoir-faire », où l'industrie n'est finalement guère autre chose qu'un type de culture, de même que les hommes sont le prolongement des animaux.

Quoique tout jeunes et tout petits, mes enfants, il faut que vous travailliez. Le travail est le sort de toute créature terrestre : c'est la première condition de notre existence et la vraie source de notre bonheur. Les animaux mêmes sont soumis à un rude labeur, et ces mêmes bêtes qui nous fournissent leur chair, leur peau, leur lait, sont aussi celles qui travaillent pour nous, qui nous aident à cultiver la terre, à transporter nos marchandises. Les plus petits animaux, les insectes eux-mêmes nous donnent l'exemple du travail : les castors, les abeilles, les fourmis même, toutes faibles et toutes chétives qu'elles sont, mènent une vie toute laborieuse, toute diligente, tout active. Ainsi, si la vie des animaux est toute de travail et d'occupation, si les astres eux-mêmes parcourent sans cesse leurs orbites, si tout dans l'univers est en mouvement et contribue aux vues sublimes du Créateur de toutes choses, combien ne serait-il pas honteux de passer ses jours dans une oisiveté toute méprisable, toute lâche, tout indigne.

Profitez donc de votre jeunesse, qu'elle soit tout activité, tout application ; qu'elle soit tout entière consacrée au travail et à l'étude. Celui qui dissipe dans l'oisiveté les précieux moments de sa jeunesse se prépare une vie toute misérable, tout infortunée, toute honteuse.

C. Juranville, *Dictées curieuses*, 1896

Au turbin, ouvriers et paysans ! L'industrie est la poursuite de l'agriculture, comme la guerre l'est de la paix.

Dieu, en soumettant la terre aux hommes, leur a permis d'user des richesses qu'elle renferme, et les hommes, appliquant à l'emploi de ces richesses toutes les facultés de l'intelligence dont Dieu les a doués, ont su mettre en œuvre les produits de la nature, les transformer de mille manières pour les approprier aux divers usages de la vie. C'est à ces efforts de l'intelligence humaine appliqués aux productions de toute espèce qu'on donne le nom d'*industrie*. Le domaine de l'industrie est aussi vaste que le globe que nous habitons. Elle sait retirer des plantes dont les semences ont été confiées à la terre les aliments les plus sains et les plus abondants ; elle emploie la toison des animaux, les fibres ou le duvet de certaines plantes, les fils d'un insecte, pour confectionner toutes sortes de vêtements ; elle creuse et fouille le sol pour en extraire les métaux, les pierres à bâtir et de précieux combustibles ; enfin elle met à contribution la profondeur des mers, et va y chercher le corail, les éponges, la nacre et les perles.

Le commerce est l'auxiliaire de l'industrie, et celle-ci fournit au commerce des aliments qui se renouvellent sans cesse. C'est par le commerce que les peuples, même les plus éloignés les uns des autres, font un échange mutuel de leurs denrées et de leur industrie.

G. Belèze, *Dictées et lectures*, 1869

Puis, quand les boutiques disparaissent, quand les centres se peuplent d'enseignes identiques et internationales, les auteurs de dictées font appel à l'antiquaire, qui, avec le boulanger, est surreprésenté dans nos dictées du XXIᵉ siècle.

— Sais-tu où peut être le magasin étrange dont Lucas m'a parlé ?

— Tu veux peut-être parler du bazar bizarre qui s'appelle « Ici on trouve tout » ? Il n'a pas vraiment d'adresse car il est si étrange qu'il semble glisser peu à peu le long de la rue. Un jour, il remplace une boulangerie ; le lendemain, il peut se trouver à la place de la charcuterie voisine.

— Je ne vais pas croire cela. Ce ne peut pas être vrai !

— Je suis bien d'accord ; ce n'est pas possible, mais c'est pourtant ce qui se passe.

Bled, *600 dictées Collège*, 2015

Bled précise que « le *z* n'est pas une lettre très courante au milieu d'un mot : un bazar, un magazine (mais un magasin), bizarre, douze… » Quand il s'agit d'évoquer l'univers urbain, les auteurs contemporains font appel à la ville de jadis, celle du souvenir, comme dans ce texte d'Albert Cohen donné à un brevet blanc en 2014 :

J'ai été un enfant, je ne le suis plus et je n'en reviens pas. Soudain, je me rappelle notre arrivée à Marseille. J'avais cinq ans. En descendant du bateau, accroché à la jupe de Maman coiffée d'un canotier orné de cerises, je fus effrayé par les trams, ces voitures qui marchaient toutes seules. Je me rassurai en pensant qu'un cheval devait être caché dedans. […]

Peu après notre débarquement, mon père m'avait déposé, épouvanté et ahuri, car je ne savais pas un mot de français, dans une petite école de sœurs catholiques. J'y restais du matin au soir, tandis que mes parents essayaient de gagner leur vie dans ce vaste monde effrayant. Parfois, ils devaient partir si tôt le matin qu'ils n'osaient pas me réveiller. Alors, lorsque le réveil sonnait à sept heures, je découvrais le café au lait entouré de flanelles par ma mère qui avait trouvé le temps, à cinq heures du matin, de me faire un petit dessin rassurant qui remplaçait son baiser et qui était posé contre la tasse. J'en revois de ces dessins : un bateau transportant le petit Albert, minuscule à côté d'un gigantesque nougat tout pour lui ; un éléphant appelé Guillaume, transportant sa petite amie, une fourmi qui répondait au doux nom de Nastrine ; un petit hippopotame qui ne voulait pas finir sa soupe ; un poussin de vague aspect rabbinique qui jouait avec un lion. Ces jours-là, je déjeunais seul, devant la photographie de Maman qu'elle avait mise aussi près de la tasse pour me tenir compagnie.

[...] Je me rappelle qu'en quittant l'appartement, je fermais la porte au lasso. J'avais cinq ou six ans et j'étais de très petite taille. Le pommeau de la porte étant très haut placé, je sortais une ficelle de ma poche, je visais le pommeau en fermant un œil et, lorsque j'avais attrapé la boule de porcelaine, je tirais à moi. Comme mes parents me l'avaient recommandé, je frappais ensuite plusieurs fois contre la porte pour voir si elle était bien fermée. Ce tic m'est resté.

Albert Cohen, Le Livre de ma mère, 1954

L'instituteur peut choisir de faire l'éloge du retour à la campagne où prospèrent – yop, la boum – les nouveaux ruraux.

Après leur mariage, la secrétaire et le militaire s'installèrent au seuil de Paris. De la fenêtre de leur cuisine, au sixième étage, ils apercevaient un château solitaire à l'horizon. Mais dans les rues, que de monde ! Que de voitures et de bruit !

grand-père paysan a eu un fils mineur et un petit-fils employé. De cette histoire, Fortuné Crueize, pourrait être le héros. Il fut en tout cas un grand-père idéal pour la petite Laure de Chantal. Il est né en 1909 au mas Chabrol, non loin de Trescol, petite bourgade minière du Gard. La « ville » c'est La Grand'Combe. Son père, Fortuné lui aussi, est mineur et fort en caractère : anarcho-syndicaliste, il excelle à la boxe française – la savate – et au tir. Il a été zouave. Heureusement, le temps l'a un peu adouci et il a eu son fils sur le tard avec Berthe (Maria) Reboul, elle-même fille de mineur et, à ses heures perdues, nourrice. Avec le pécule gagné à la mine, papi Reboul redevient cultivateur et apprend le métier de vacher, derrière la gare de Luc, au petit Fortuné. Mais celui-ci a d'autres talents : M. Teissonnière l'a repéré à la communale de Trescol. « Ce garçon doit faire des études », parvient à faire admettre M. l'instituteur au pétulant et pétunant Fortuné père. Après quelques années en pension en Alès, il obtient avec mention son certificat d'études, notamment grâce à la dictée. Il s'en souvient quand il donne des cours de grammaire et d'orthographe à l'université ouvrière sous le Front populaire. À dix-sept ans, il est sur le port de Marseille avec son premier salaire en poche et le goût de la liberté. Il y achète le couteau qui l'accompagnera toute sa vie. Après Marseille, il passe des concours et devient non seulement employé mais fonctionnaire, dans la grande capitale où il fonde famille. Au soir de sa vie, il retourne au pied du mont Lozère et s'éteint sous le soleil avec l'année 2003, à quatre-vingt-quatorze ans. Si le Cévenol n'a jamais été riche, la

Fortune a souri à Fortuné ! Cette vie rêvée, cette vie idéale et modeste, qui conduit les hommes de la terre à la ville et à la terre à nouveau, est digne d'une dictée.

Une mission éducative

In corpore sano

Courir ne prend qu'un r car on manque d'air en courant.

Oblongs et jaune citron – invariable –, les savons accrochés au-dessus du lavabo, inusables, procurent toujours un zeste de nostalgie. Étaient-ils efficaces pour ôter les taches d'encre sur les doigts d'écolier ? Au début du XXe siècle, l'épreuve du certificat d'études de Seine-et-Oise se transforme en petit cours d'hygiène. Lavez-vous les mains !

Lavez-vous les mains

Vos mains ! regardez-les, comme elles sont sales ! Les avez-vous seulement lavées une petite fois depuis ce matin ? Et ces ongles mal taillés et en deuil, combien croyez-vous que vous portiez là de maladies dans cette crasse noire et humide sous votre ongle et dans les pores de votre peau ? Réfléchissez. Savez-vous ce que vous avez touché et à travers quel foyer d'épidémies vos mains ont pataugé ? Et vous les portez à votre bouche, vous touchez vos aliments inconsciemment et avec incurie, car vous seriez épouvantés si on vous montrait ce qui grouille dessus.

Aussi, vos dents se gâtent, les angines pleuvent, vous êtes la proie incessante de tous ces mille riens, de toutes ces maladies qui vous assiègent constamment et qui, heureusement, guérissent seules jusqu'au jour où, avec vos mains sales, vous introduisez en vous le germe de la fièvre typhoïde, de la fluxion de poitrine, de la tuberculose dont vous mourrez. (Certificat d'études, Seine-et-Oise)

C. Toulouse, *La Lutte contre la tuberculose à l'école*, 1902

Les arguments avancés ont de quoi convaincre : se laver ou mourir ! Il n'y a pas que les noms qui doivent être propres. Dans ses *Dictées pour l'enfance*, Mme Debierne-Rey constate que « les seigneurs substantifs et adjectifs sont forcés au pluriel d'ajouter un *s*. Le seigneur verbe : *ent*. » Elle se fait surtout un devoir de rappeler au chérubin qu'il doit être un écolier ordonné. Tout comme le maître répète à l'apprenti qu'un méchant ouvrier a de mauvais outils, tout comme on fait son lit on se couche et pierre qui roule n'amasse pas mousse.

L'ordre est un grand devoir. Dès l'âge de cinq ans, tous les enfants doivent plier leurs effets le soir ; les effets qui restent à terre ou sur les lits sont abîmés, chiffonnés, salis, le lendemain ; les cahiers, les livres doivent être propres. Ah ! qu'elles sont vilaines les taches d'encre, qu'on appelle pâtés, elles ne ressemblent guère aux petits pâtés chauds, que vous croquez si bien..., et vos pauvres livres, qui sont après tout vos gentils amis, quelle figure, quelle tournure, ils ont entre vos mains au bout de quelques jours. Eh bien, chaque tache d'encre dit à l'écolier : paresseux ! désordonné !

L. Debierne-Rey, *Dictées de l'enfance*, 1875

Un élève ordonné sera plus tard un bon ouvrier. S'il est propre, il pourra facilement intégrer la société. La dictée est une des armes qu'utilise le pouvoir dans sa volonté de nettoyer le corps social et le corps de l'écolier. Depuis sa naissance, il est pesé, mesuré, lavé. Son corps, ses dents, ses yeux, ses oreilles, tout est examiné, inspecté, surveillé. Pour être accepté, il doit être bien lavé. On n'imagine pas *une âme sans tache dans un corps malpropre*. Le caractère se porte sur le visage. La phrénologie a encore quelques adeptes et, s'il n'a pas la bosse des mathématiques, il aura peut-être celle du criminel. Seule échappatoire, la propreté.

La propreté pare et relève tout. La laideur propre vient à bout d'être avenante. Une jeune fille bien tenue n'est jamais laide. Connaissez-vous rien de plus touchant, rien qui attire mieux le service, la charité, la sympathie, meilleure encore que la charité, que la pauvreté propre ? Par contre, il n'est rien de plus repoussant que la saleté dans la richesse.

On n'imagine pas plus facilement une âme propre, une âme sans tâche [sic] dans un corps malpropre, qu'une eau pure dans un vase immonde. Il semble *impossible que l'un ne gâte pas l'autre, que la coupe ne fasse pas de tort à la liqueur.*

Des idées claires, justes, dans une tête toujours mal peignée, des sentiments sains dans une enveloppe volontairement malsaine, on n'y croit pas.

La propreté est la seule des apparences qu'il ne faille pas négliger, la seule des recherches qu'il faille rechercher.

On n'approche pas des maisons dont le seuil est fétide. La maison que votre âme habite c'est votre corps. Il ne faut pas que la maison donne mal à croire de l'habitant. (P.-J. Stahl, Morale familière)

A. Viales, *La Première Année d'éducation et d'enseignement postscolaires des jeunes filles*, 1911

Le bon écolier a la frimousse débarbouillée, les quenottes brossées, les menottes lavées. N'oublions pas les oreilles et le crâne, là où prolifère un pluriel compliqué : le pou qui hélas vient rarement seul. Il a souvent avec lui un genou, un caillou et un hibou.

Le biniou, le chou, le pou, le coucou, le genou, le hibou, le cou, le verrou, le clou, le licou, l'écrou.

L'Enseignement pratique, 5 juin 1898

Pour y penser sans se gratter, il y a un « truc » sensationnel : « Mon chou, viens sur mes genoux avec tes joujoux et tes bijoux lancer des cailloux sur les hiboux pleins de poux. » La saleté est à combattre dans les dictées, surtout lorsqu'elle arrive de l'extérieur. Dans un réflexe xénophobe, la contagion ne peut que venir de l'étranger puisqu'ici tout est si propre.

Quand on débarque à certaines gares de Paris on tombe parfois au milieu d'un entassement humain sans formes distinctes, sans voix, d'où sortent seuls quelques vagissements étouffés, sans clarté, malgré un bariolage de chapeaux exotiques, de châles, de turbans, de hardes colorées. Les émigrants ! Pressés, accroupis, emmêlés, le long des murs, sur les trottoirs, on garde d'eux l'impression d'une denrée épaisse, malpropre ; encombrante, dangereuse, lamentable.

Dangereuse denrée ? Certes elle émane des pays du choléra et de la peste. Elle véhicule les poussières de l'Orient où le soleil est l'unique adversaire des pestilences et des contagions. L'Europe, en des conférences laborieuses, a établi des règlements internationaux pour arrêter les maladies aux frontières de leur domaine réservé. Elle n'a rien fait, ou bien peu, afin de régler par des mesures générales la circulation à travers elle des émigrés porteurs de microbes. (Pierre Baudin)

Revue de l'enseignement primaire,
novembre 1908

L'épidémie est une crainte millénaire qui prend de l'ampleur quand Louis Pasteur terrifie le monde en inventant les microbes. La tuberculose est un fléau à combattre. Face à la maladie, la dictée porte la bonne parole. En 1902, un recueil de dictées entier

est publié pour lutter contre les ravages de la tuberculose.

La tuberculose attaque gens et bêtes. Elle peut enva-
hir toutes les parties du corps, bien qu'atteignant de
préférence les poumons. Os, jointures, cerveau, reins,
intestins doivent parfois donner asile au bacille de Koch.

Jeunesse, adolescence, âge mûr, vieillesse, elle n'épargne
rien. Rien qu'en France elle fauche 150 000 existences
par an, soit 411 par jour, 17 heures [sic]. C'est l'effectif
de 5 de nos corps d'armée, plus que l'effectif d'une
classe.

Dans l'univers entier, sans trêve ni merci, elle
promène son lugubre cortège de misères et de larmes.

Apprenons donc bien vite à la connaître pour la
mieux combattre.

C. Toulouse, *La Lutte contre la tuberculose
à l'école*, 1902

Pourtant, la tuberculose a du bon : elle a permis
à Dumas fils d'écrire *La Dame aux camélias*. Quelle
meilleure occasion dans les dictées d'apprendre l'orthographe du mot *phtisie*, avec sa cohorte de « crachats abondants, purulents ».

Les phtisiques ont la poitrine étroite, l'apparence
chétive ; ils s'enrhument facilement, surtout l'hiver.
Enfin, quand la maladie se déclare (et c'est le plus
souvent à la suite d'un rhume négligé), la toux devient
fréquente, insupportable ; les malades crachent le sang,
d'abord en petite quantité, puis ils finissent par vomir

à pleine cuvette un sang rouge, mousseux, écumant ; les yeux se creusent ; les pommettes des joues deviennent rouges et saillantes ; la fièvre se déclare en permanence, et elle redouble surtout vers le soir ; l'appétit se perd, l'amaigrissement fait des progrès rapides ; la nuit, il y a des sueurs considérables ; il survient une diarrhée que rien ne peut arrêter et qui se prolonge pendant des semaines et des mois ; la toux continue, une toux creuse, caverneuse, suivie de crachats abondants, purulents ; les poumons se détruisent de plus en plus, et la mort survient après une très longue agonie, quand le corps est réduit à l'état de squelette. (Dr H. George)

C. Toulouse, *La Lutte contre la tuberculose à l'école*, 1902

À travers l'écolier, c'est aux parents que la dictée s'adresse. Les autorités ont trouvé ce moyen efficace pour atteindre des adultes, parfois illettrés, qui échappaient aux politiques de prévention. La jeunesse porte la bonne parole hygiéniste au cœur du foyer. Ainsi, pour lutter contre la maladie, les petits morveux disposent d'une arme redoutable : quelques centimètres carrés de tissu, le plus souvent à carreaux. Utilisez votre mouchoir !

L'origine du mouchoir remonte au XIe siècle. Jusqu'au XVIe siècle, les poches n'existant pas, les rares personnes qui s'en servaient l'attachaient au bras gauche. Actuellement tout le monde emploie cet instrument, et souvent fort mal. Le bon ton veut qu'on y crache dedans : ce qui est bien dangereux. Il est clair qu'on infecte sa poche, à moins qu'on ne change très fréquemment ce petit carré de toile. De plus, au contact du corps, les crachats se dessèchent vite et se pulvérisent par suite des froissements. Chaque fois qu'on tire son mouchoir, c'est par milliers que les microbes se répandent dans l'air et peuvent infecter des personnes saines jusqu'alors.

Où faudra-t-il donc cracher ? Dans un crachoir hygiénique. Un jour viendra où l'homme qui crachera ailleurs que dans un outil spécial sera montré du doigt comme un mal élevé. Dans l'intérêt général faisons des vœux pour que ce jour vienne bientôt.

C. Toulouse, *La Lutte contre la tuberculose à l'école*, 1902

La perception du propre varie selon les individus, les époques et les milieux sociaux. En revanche, la lutte contre l'alcoolisme est compréhensible de tous. L'eau n'est pas toujours potable. Avec le vin, la bière ou le cidre, il n'y a pas de risque, alors tout le monde trinque. L'enfant ne boit pas que du petit-lait quand il étudie les « verbes avec je ». Santé !

En été, quand arrive l'école, j'ai soif. Je verse de l'eau fraîche dans un verre et j'y ajoute un peu de vin qui la colore et lui donne du goût. Puis à petites gorgées je déguste cette boisson rafraîchissante. J'aime boire frais quand j'ai très soif !

L. Dumas, *Le Livre unique de français, cours élémentaire et moyen*, 1934

Admiratif, l'enfant regarde son père verser lentement l'eau fraîche sur un morceau de sucre posé sur une cuillère percée. Dans le verre, le liquide prend une couleur fabuleuse. La fée verte ensorcelle. Avec l'alcool, bien souvent, ce n'est plus papa pique et maman coud mais papa picole et maman prend des coups. L'alcoolisme est une mauvaise habitude qui concerne aussi les enfants.

L'alcoolisme existe-t-il chez l'enfant ? Hélas ! oui, au moins dans notre génération. Les anciens disent bien que, de leur temps, les enfants ne buvaient pas de vin. Actuellement le vin et la bière sont donnés presque journellement aux enfants, et cela surtout dans la classe bourgeoise. Aux enfants faibles on donne des vins forts : malaga, madère, marsala ; aux anémiques, du cognac et de l'eau de cerise, ou de la bonne eau-de-vie de marc « faite à la maison ». Cela part certainement d'un bon naturel : on croit fortifier l'enfant.

L'alcoolisme chez l'enfant existe donc ; il est même très fréquent, et il est bien souvent la cause de désordres graves, de maladies sérieuses, qui se guérissent comme par enchantement, quand on supprime la cause, c'est-à-dire les boissons alcooliques. (Dr Combes)

A. Lemoine, *Contre l'alcoolisme : recueil de devoirs préparés pour chaque semaine*, 1902

D'un coup, l'enfant pose son porte-plume et cesse d'écrire. Il se rend compte qu'il a soif. Une limonade serait parfaite, mais les enfants imitent leurs parents. Il se voit déjà avec sa cuillère percée en train de faire fondre un morceau de sucre dans son verre à absinthe. Société de tempérance en blouse noire, l'instituteur lui dicte alors les dangers de la boisson.

L'absinthe abrège la vie. Les absinthiques meurent presque fatalement de la tuberculose : il est absolument exceptionnel de les voir arriver à 60 ans.

C. Toulouse, *La Lutte contre la tuberculose à l'école*, 1902

Le raisin, la pomme ou le houblon donnent de délicieuses boissons qu'il ne faut pas consommer avec excès. Le vin, le cidre ou la bière ne peuvent être condamnés sans nuance : il en va de la tradition et de l'économie françaises. Ce n'est pas le cas du débit de boissons, où l'alcool fort, l'ennemi mortel, ravage les organes et transforme le beau visage d'un homme en une vilaine trogne. Les campagnes antialcooliques condamnent le mauvais lieu qui pervertit l'honnête travailleur : le cabaret, ennemi de l'école !

L'école n'a pas d'ennemi plus redoutable que le café, la boutique du marchand de vins. Qu'est-ce qui fait disparaître dans l'apprenti toutes les bonnes aspirations que l'instituteur avait péniblement évoquées chez l'élève ? C'est le cabaret. Qu'est-ce qui fait rentrer dans la fainéantise, dans l'amour du jeu de hasard et dans la débauche, le fils du bourgeois que l'instituteur avait essayé de mettre sur le chemin d'une vie laborieuse et honnête ? C'est le café. Il faut que les instituteurs pensent à cela, et, comme ils ont souci de conserver les fruits de leurs efforts, ils doivent se mettre à l'œuvre contre l'alcoolisme avec toute l'énergie dont ils sont capables. (Dr Roubinowitch)

A. Lemoine, *Contre l'alcoolisme : recueil de devoirs préparés pour chaque semaine*, 1902

La dictée traite de l'hygiène mais elle ne se contente pas de dénoncer les dangers encourus à chaque verre. Elle est aussi pourvoyeuse de bons conseils. Bien avant les cinq fruits et légumes par jour, la dictée se fait potagère.

Les légumes ont une influence prononcée sur la santé physique et morale de ceux qui les mangent et, judicieusement employés, ils peuvent guérir nombre de maladies et corriger en même temps maints écarts d'esprit.

Ainsi la pomme de terre développerait les qualités raisonnables, l'équilibre et le calme de la pensée. La carotte donne bon caractère. Elle est à recommander aux bilieux et aux rageurs. Les épinards développeraient les rêves ambitieux, l'énergie, la constance de la volonté. L'oseille, en dépit de son acidité, conduirait au découragement, à la tristesse. Elle provoquerait des cauchemars pénibles et des sommeils peu réparateurs. Les haricots verts et les crosnes du Japon sont des aliments délicats, qui excitent aux rêveries aimables, qui développent les pensées et les sentiments artistiques.

Quant au haricot blanc, il serait à recommander à tous les travailleurs, manuels et intellectuels. C'est un aliment réparateur du système nerveux, plus riche et plus tonique que la viande elle-même.

Revue de l'enseignement primaire, juillet 1909

« Studieux, solides, forts et vigoureux, buvez du lait ! » En 1954, Pierre Mendès France, alors président du Conseil, lance une vaste campagne contre la malnutrition. Le salut de la France passe par les produits laitiers, alternative plus sympathique qu'une cuillère d'huile de foie de morue. Le lait a toujours été présent dans les dictées, laissant une petite moustache blanche sur la lèvre supérieure d'écoliers « forts et vigoureux ». Si les produits laitiers sont nos amis pour la vie, le lait frais n'a pas toujours été bien perçu : il est la boisson des nouveau-nés et des vieillards. Les vieilles dictées en donnent une présentation technique, pour du beurre.

Le lait contient trois éléments qui se séparent au repos : le caillé qui tombe au fond du vase ; le petit-lait, liquide clair jaunâtre, et la crème, qui surnage. C'est en battant vivement cette crème dans un vase en bois appelé baratte que l'on obtient du beurre. Il se forme en petites masses qu'on réunit, et que l'on pétrit pour chasser le petit-lait qui s'y trouve encore.

Revue de l'enseignement primaire, 31 janvier 1909

Rassasiés de lait et de légumes, les écoliers sont prêts pour la gymnastique. La discipline est apparue à la fin du XIXe siècle, quand les médecins redécouvraient que le corps devait être entretenu autant que guéri. Depuis, le sport n'a jamais quitté l'école et les dictées. Il n'occupe pas une place principale, il est même plutôt discret, mais il est l'occasion de muscler ses neurones en révisant le pronom personnel *tu* et les mots en -*ure*.

Si tu empruntes cette vieille bicyclette et si tu montes dessus, tu auras soin de modérer ton allure en serrant les freins. Au bas de la côte, se trouvent des ronces : si tu manques le virage, tu y tomberas et tu risques de t'y faire une blessure, ou tout au moins quelques égratignures désagréables. Tu seras donc prudent.

L. Dumas, *Le Livre unique de français, cours élémentaire et moyen*, 1934

Le vélo est la grande passion des Français au début du XXe siècle. Le Tour de France cycliste remplace peu à peu *Le Tour de France par deux enfants*. Les élèves connaissent bien mieux Lucien Petit-Breton que Cicéron et le Paris-Roubaix que l'accord du participe passé. Le sport vient muscler les recueils de dictées. Ils se découvrent des parentés : tous deux exigent de l'endurance, de la régularité, de la discipline et passionnent les Français. Un peu plus tard, les sports collectifs rejoignent l'équipe quand il s'agit de réviser le pronom relatif.

Partie de football. Un coup de sifflet strident. D'un élan mesuré, un gaillard au maillot grenat fond sur le ballon qui, enlevé d'un coup de pied, quitte le sol, semble tirer derrière lui la meute lâchée des joueurs... Le ballon a soudain jailli entre les jambes d'un « Français » qui trébuche, un avant grenat l'a cueilli et file aussitôt suivi de deux camarades. (A. Lichtenberger, Le Sang nouveau)

G. Gabet, *Grammaire française par l'image, cours moyen. Livre du maître*, 1946

La conquête de l'instruction pour tous se poursuit avec la recherche de l'attention des élèves. Les pédagogues ont beaucoup réfléchi : si des auteurs antiques et des grands classiques sont toujours choisis comme sujets de dictée, dès la fin de la Seconde Guerre mondiale, il n'est pas rare de trouver au certificat d'études des textes contemporains. Quelle surprise quand les candidats de Charente-Maritime, en 1977, découvrent que l'auteur de leur dictée est Raymond Marcillac, figure légendaire de l'ORTF. La joie grandit quand l'élève entend prononcer le nom de Jean Boiteux, non coureur sur piste mais bien nageur olympique. À vous, Cognacq-Jay !

Finale du 400 mètres. À l'appel de son nom, Jean Boiteux vient se placer sur sa plage de départ. Avant de s'immobiliser bien au bord du bassin, il jette un regard furtif en direction de la tribune officielle d'où ses parents ne le quittent pas des yeux. Les jambes fléchies, les bras rejetés en arrière, Jean Boiteux est placé entre ses deux plus dangereux rivaux.

« Cela doit lui permettre de mieux les surveiller », pense Minville qui est resté au bord du bassin. Au coup de pistolet, huit corps se tendent à l'horizontale et disparaissent dans une eau claire au-dessus de laquelle se penchent juges et chronométreurs. (D'après Raymond Marcillac)

C.E.P., Certificat d'études primaires,
Livre du maître, 1977

L'idée n'est pas mauvaise : on ne fait bien que ce qu'on aime. Comme les élèves aiment le sport, il faut en parler dans les dictées. Pas sûr cependant que ce soit la garantie d'une copie sans fautes. D'ailleurs, si elle fait de son mieux, la dictée conserve de vieux réflexes : pour le brevet des collèges, à Poitiers, en 1988, c'est bien de football qu'il est question, dans un vieux texte de 1936. Quand les enfants admirent l'adresse de Michel Platini, c'est le football de Roger Courtois qui entre en jeu, dans la salle de classe.

Une partie de football

Le ballon est placé au centre du terrain. Un coup de sifflet, un joueur donne un coup de pied. Le match est commencé... Le ballon vole, rebondit. Un joueur le suit et le poursuit, le pousse du pied, se le fait voler par un adversaire qui à son tour le conduit vers les buts... Quand l'occasion est bonne, il fonce et d'un grand coup de pied lance le ballon dans les buts. Alerté le gardien se jette sur le ballon, l'attrape et le renvoie vers un de ses équipiers. L'attaque reprend... Avec une habileté et une rapidité qui ressemblent à de l'acrobatie, avec une force qui dégénère en brutalité et qui se mêle à la ruse, les équipes des deux camps feintent, trompent et finissent par faire entrer le ballon entre les poteaux. L'arbitre siffle. Le résultat déchaîne l'enthousiasme des joueurs et des partisans. (Philippe Soupault, « Football », Revue de Paris, 1er novembre 1936)

Brevet des collèges, juin 1988, Poitiers

L'élève étant la relève, il faut prendre soin de son corps. Il faut préserver cet adulte en devenir des épidémies et des habitudes d'ivrognerie. Il en va de la grandeur de la France ! Pour cela, la dictée est parfaite. À mots lentement prononcés, et répétés, écrits et relus, ensuite corrigée, elle imbibe la tête de notions d'hygiène. L'écolier doit prendre soin de lui pour rendre fort le pays. Bien entendu, la coéquipière de *corpore sano* s'appelle *mens sana*. Championne des donneuses de leçons, la dictée excelle dans la morale.

Mens sana

*Pour se protéger du soleil, le pêcheur met
son chapeau.*

Depuis la loi de juillet 2013 pour la refondation
de l'école de la République, écoliers, collégiens et
même lycéens ont droit à un enseignement moral
et civique, ou EMC. Ce nouvel enseignement est mis
en œuvre à la rentrée 2015 et « doit transmettre un
socle de valeurs communes : la dignité, la liberté,
l'égalité, la solidarité, la laïcité, l'esprit de justice, le
respect de la personne, l'égalité entre les femmes et
les hommes, la tolérance et l'absence de toute forme
de discrimination. Il doit développer le sens moral
et l'esprit critique et permettre à l'élève d'apprendre
à adopter un comportement réfléchi. Il prépare à
l'exercice de la citoyenneté et sensibilise à la responsabilité individuelle et collective ». (B.O. spécial du
25 juin 2015.)

Notons qu'il y a manifestement une différence
entre l'égalité en général et l'égalité entre les femmes
et les hommes. Notons aussi que, si « refondation »

il y a, la pratique n'est naturellement pas nouvelle : auparavant il y avait eu l'instruction civique et l'éducation civique ; encore avant, la dictée se chargeait d'enseigner les règles de la morale avec celles de la grammaire.

Pendant que l'instituteur dicte, l'écolier est à la fois soumis et concentré : il a baissé la tête, il écoute et, pour peu qu'il fasse quelques fautes, il retient d'autant mieux. C'est donc le moment idéal pour lui donner des leçons d'orthographe et de morale : tandis qu'il applique les règles du bon usage, il apprend celles du savoir-vivre. Elles sont sans doute beaucoup moins finassières que celles du redoublement des consonnes.

On compte dans la rue où je demeure : un perruquier, un banquier, un sellier, un boisselier, un boutiquier, un quincaillier et un ancien joaillier. Ce dernier est marguillier dans sa paroisse [...]. Hier, il m'a montré dans son jardin des plants curieux de caféier, de cactier, de cochenillier ou nopal, de mancenillier, de cornouiller, de vanillier, de cannellier, de châtaignier, de figuier, de guignier, de violier et de groseillier. Ces plants lui ont été rapportés de contrées éloignées par un de ses neveux, jeune fusilier, qui a manqué un jour d'être fusillé pour insulte grave à son chef – un sergent fourrier – à bord d'un fin voilier ; heureusement, il a pu pallier cette faute.

Une des grandes plaies de notre époque est le mépris de l'autorité et le manque de respect envers les supérieurs. On ne saurait trop le répéter, l'homme ne s'abaisse pas, il s'honore lorsqu'il rend à chacun ce qui lui est dû : soumission aux lois de son pays, respect pour l'autorité légitime, égards et déférence à ceux qui sont placés au-dessus de lui.

C. Juranville, *Dictées curieuses*, 1896

À tous ces arbres porteurs d'orthographes vicieuses et de fruits tentateurs, il faudrait ajouter le pêcher qui a conduit à commettre bien des péchés capitaux aux yeux de la sainte orthographe.

Perché au sommet d'une estrade, déambulant dans la classe et omniscient, voix invisible embusquée et jaillissant de Dieu sait où, l'instituteur, quand il dicte, devient prophète. Quels sont les commandements inscrits à la craie blanche sur les tables de la loi laïque ?

1. Aimons du plus grand amour notre père et notre mère, et, après eux, nos autres parents : frères et sœurs, grand-père et grand'mère, oncles et tantes, cousins et cousines, neveux et nièces.

2. Soyons aussi très-respectueux et obéissants envers les personnes qui ont autorité sur nous, comme monsieur le curé, monsieur le maire, notre parrain, notre marraine, notre maître, notre patron, nos bienfaiteurs.

3. Vivons en paix avec tout le monde : voisins, condisciples, émules, camarades, confrères, domestiques, propriétaires, locataires, compatriotes, étrangers... que tous n'aient qu'à se féliciter de notre conduite.

4. Le filleul, ou la filleule, qui est docile aux sages conseils de son parrain et de sa marraine, s'applaudira

de son obéissance. *L'enfant qui honore, aime et assiste son père et sa mère, est béni de Dieu et des hommes.*

F. P. Bransiet, *Cours élémentaire d'orthographe*, 1869

Le service militaire en 1869 dure six ans pour ceux qui ont tiré le mauvais numéro et n'ont pas l'argent pour se faire remplacer. Conscription oblige, « Tu ne tueras point » ne fait pas partie des commandements. C'est bien dommage car le futur a beau être un temps simple, il est riche en leçons, comme *il faut plus d'r pour se nourrir que pour mourir.*

Au Vᵉ siècle après J.-C. un petit Latin d'Algérie, Augustin, qui n'est pas encore un saint, copie sur les œuvres de son voisin Ambroise (de Milan) les quatre vertus cardinales. C'est un péché seulement véniel, car Ambroise a lui-même beaucoup copié Platon et Aristote, abominables païens. Saint Augustin a eu un fils, hors mariage – les mœurs ecclésiastiques sont parfois aléatoires – et, quelques siècles plus tard, les enfants et les petits-enfants de l'évêque d'Hippone planchent à leur tour sur cette chère Prudence.

En tout, comme dit le poète, il faut considérer la fin, et, si la prévoyance est bonne et louable pour nous-mêmes, elle est meilleure encore pour nos semblables. On n'a pas tous les jours l'occasion d'accomplir un acte de haute vertu, de dévouement et d'abnégation. La vie n'est, après tout, qu'une suite, un tissu de menues actions, mais dans lesquelles on trouve l'occasion d'appliquer les grands principes de la morale, pour peu qu'on veuille bien se donner la peine de rechercher le lien qui les attache à ces principes. Jeter une peau d'orange n'est pas assurément un crime, mais cela peut causer un malheur, et, si l'on se place à ce point de vue, la précaution s'impose et devient un devoir. (Vessiot) (Certificat d'études, Algérie)

C. Toulouse, *La Lutte contre la tuberculose à l'école*, 1902

La tempérance est aussi de mise. La mesure vantée par la pensée grecque, après avoir pris le visage de la modestie, a adopté, au XXe siècle, le nom d'économie. Attention toutefois à être économe avec parcimonie car l'avarice est non seulement un vice mais un péché capital : elles est apte à en générer d'autres, si bien que lui céder et c'est l'autoroute vers l'Enfer.

Économiser c'est dépenser moins qu'on ne gagne, ou plutôt c'est ne pas faire des dépenses inutiles. L'homme économe a du goût pour le travail ; sa maison est rangée, ses vêtements sont propres, sa famille a au moins le nécessaire. Se rappelant le proverbe : « Qui paye ses dettes s'enrichit », il ne fait point compte chez les fournisseurs. Il fuit les cabarets, les bureaux de tabac et tous les lieux où l'on compromet sa santé et où on engloutit ses ressources. Avec le contentement de lui-même et l'estime des honnêtes gens, il conserve aussi la vigueur du corps et la pureté de l'âme. L'avenir le préoccupe assez peu ; il sait que les économies réalisées le mettront à l'abri du chômage et de la maladie. Ses vieux jours s'écoulent au milieu d'une félicité complète : n'ayant jamais fait d'excès, il ne sait pas ce que c'est que les infirmités ; ayant versé régulièrement à la caisse des retraites pour la vieillesse, il jouit d'une petite rente qui suffit à sa paisible existence.

C. Toulouse, *La Lutte contre la tuberculose à l'école*, 1902

La justice quant à elle est immanente, impitoyable. En 1907, les élèves du canton de Flize ont à méditer sur une histoire atroce où un abominable polisson ne doit son salut qu'à la vertu d'un camarade.

Il faut faire son devoir malgré tout

Un enfant de neuf ans, Edouard Legay, avait été dénoncé à tort par un de ses camarades, au garde champêtre comme ayant couru dans les prés non encore fauchés, ce qui avait causé de grands dégâts.

Or, non seulement Edouard n'était pas coupable, mais le vrai coupable était le petit dénonciateur. Et, comme si la punition était venue d'elle-même, le menteur fit, en fuyant, un faux pas et tomba dans un canal longeant la Moselle. Le malheureux allait sûrement périr, lorsque, oubliant la fausse accusation dont il venait d'être la victime, et n'écoutant que son courage, Edouard Legay se jeta à l'eau, et sans peine parvint à sauver son petit camarade. (Emile Toutey)

Certificat d'études, 12 juin 1907

Voilà de quoi ôter aux petits Mosellans toute envie de regarder sur la copie du voisin pendant leur examen, ou de prétendre : « C'est pas moi, c'est lui qui a triché ! » Enfin, l'écolier, comme Job, Jonas, Jacob et tutti quanti doit faire preuve de fortitude, admirable précipité de courage et de patience. De la fortitude il va en falloir à Patachou pour apprendre le verbe être.

– Patachou, vas-tu te décider à apprendre le verbe « être » ? À ton âge, je le savais déjà. Commence : « je suis », « tu es »...

Saura-t-il jamais son verbe ? Je vous avoue que je ne me rappelle plus du tout comment, en des temps anciens, j'en suis venu moi-même à l'apprendre ; et je tremblerais aujourd'hui si je l'ignorais et que je dusse le loger en mon esprit. C'est sans doute le verbe le plus singulier qu'on puisse rencontrer. Quand vous dites : « j'aime », « tu aimes », « nous aimerions », « aimer », « aimant », vous prononcez sans cesse un mot qui demeure toujours le même et dont la fin seule se transforme. On pourrait le comparer à un bon chien qui aurait tantôt une queue de paon, tantôt une queue de rat ; mais ce chien serait toujours un chien.

Le verbe « être », hélas ! je pense qu'il fut inventé par Protée (à épeler, dieu marin de la mythologie grecque. Il changeait de forme à volonté) ou par quelque prestidigitateur. À chaque instant, il change de corps et de visage. (Tristan Derème, Patachou, petit garçon)

G. Galichet, R. Galichet, *Dictées préparées, dictées de contrôle*, 1977

Les quatre vertus cardinales sont magnifiées par les trois vertus théologales, la charité, la foi et l'espérance : *amen* et le compte est bon !

On demandait un jour à un bossu, à un de ces hommes affligés d'une disgracieuse gibbosité : comment va votre éminence gibbeuse ? Il répondit avec à-propos : comment va votre platitude ?...

Ici une petite réflexion. Il faut être bien sot et bien méchant pour se moquer des personnes ayant des infirmités naturelles. N'est-ce pas une aberration de l'esprit que d'abrutir ces pauvres êtres déshérités, de les abêtir par des plaisanteries saugrenues ? Quant à moi, j'abhorre ces mauvais plaisants et je les méprise profondément.

C. Juranville, *Dictées curieuses*, 1896

L'écolier parfait a fort à faire : en plus d'étudier et d'aider ses parents aux champs, le voici qui vient redonner la foi et l'espérance à sa mère en pleurs.

Jean, revenant de l'école, trouva sa maman perdue dans une amère songerie : elle pensait à sa sœur malade. Jean approcha, s'installa sur les genoux de sa mère, et, l'embrassant bien tendrement, il lui raconta sa journée d'écolier, mêlant à son récit mille drôleries, riant à tout propos. Enfin sa gentillesse ramena un sourire aux lèvres de sa mère. Brave petit cœur !

L. Dumas, *Le Livre unique de français, cours élémentaire et moyen*, 1934

Aux vertus cardinales et théologales s'ajoutent les vertus françaises que sont la franchise, la politesse et l'élégance. Tout d'abord place à la franchise.

Une qualité précieuse entre toutes autres, qualité qui fait la noblesse du caractère, le charme et la sûreté des relations de tout genre, c'est la franchise. Elle est aussi une garantie de bonne conduite, car pour lui mal faire on se cache, et ce qu'on a fait de mal, on s'efforce de le tenir caché. La franchise au contraire répugne à chercher l'ombre, elle aime mieux avoir à rougir d'un aveu qu'à rougir d'un mensonge. Il n'est pas de qualité qui convienne mieux à des hommes libres. Elle est aussi une des qualités qu'on aime le plus en France.

G. Gabet, *Grammaire française par l'image, cours moyen. Livre du maître*, 1946

Ensuite l'élégance, pour une question de chiffons et d'accord des adjectifs.

Puisque vous le désirez, mademoiselle la curieuse, vous allez avoir la description des toilettes que j'ai remarquées à la noce ; vous me prouvez que vous êtes bien fille d'Ève, car la question des chiffons a pour vous beaucoup d'attrait.

Amélie et sa sœur avaient des robes rose tendre ornementées de nœuds roses. Tout le monde admirait ces deux jeunes filles aux cheveux blonds, aux yeux bleus et bleu foncé. La vaporeuse Sylvie aux yeux bleu clair, aux cheveux blond cendré portait une robe de gaze couleur de chair, - la couleur de chair est en vogue en ce moment ; tout, dans sa personne, était en parfaite harmonie. Louise et Eugénie, les deux charmantes brunes aux yeux noirs, portaient des robes de soie gorge-de-pigeon qui leur seyaient à ravir ; sous leur chapeau à rubans rouge-cerise leurs superbes cheveux châtains et châtain clair ressortaient à merveille. Pauline avait des nœuds jonquille et orange à sa robe et des rubans paille et aurore à son chapeau. Les messieurs avaient généralement l'habit noir classique, les gants blancs ou jaune serin ; quelques élégants portaient des habits bleus à boutons d'or. [...]

Un écrivain a dit : le sage s'habille, le fat se pare. Soyons sages, habillons-nous avec goût, mais ne nous parons pas. Une personne raisonnable se met selon son âge, sa fortune, sa condition ; elle suit la mode d'un peu loin et rejette les excentricités.

C. Juranville, *Dictées curieuses*, 1896

Enfin la politesse, pour apprendre le présent.

Des enfants impolis

Vous êtes pressés, vous marchez vite et vous passez devant les gens. Vous bousculez même cette dame. Vous frappez à une porte et vous entrez sans attendre. Vous avez des excuses à présenter et vous êtes impardonnables si vous ne les présentez pas.

G. Galichet, G. Mondouaud, *Je découvre la grammaire et l'orthographe*, 1963

Dans la petite école normande de La Graverie, le 13 mai 1958, Robert Mauduit écrit consciencieusement sous la dictée de son instituteur. Il a quatorze ans et il s'applique. Le certificat d'études approche. La dictée du jour est à la fois une leçon de morale et un exercice de conjugaison puisqu'il faut écrire, entre parenthèses, les verbes réfléchis à l'infinitif.

N'écoutez pas les flatteurs, si sincères qu'ils paraissent ; ceux qui s'y fient (se fier) deviennent leurs dupes.

La souris s'approche du piège si attirant avec son morceau de lard et s'y laisse (se laisser) prendre.

Le vent a été si impétueux qu'il a renversé des arbres en travers de la route ; ce sera un rude travail de la dégager, des ouvriers s'y emploient (s'employer) activement.

Il connaît le règlement, il a promis de s'y conformer (se conformer).

La chaleur invite à entrer dans la forêt si proche ; ce sera un plaisir de s'y promener (se promener).

Les charbonniers ont dégagé la clairière et s'y installent (s'installer).

Dictée du 13 mai 1958

187

Robert Mauduit ne fit aucune faute et il eut 10, comme par la suite Xavier, son fils.

Obéissance, respect, politesse, élégance, franchise, etc. N'est-ce pas ambitieux pour de jeunes enfants, dont certains ne parlent pas même le français, mais le « patois » ? C'est que les règles de l'orthographe et celles de la morale ont besoin d'être répétées *ad libitum*, voire rabâchées. Dans les deux cas, il faut apprendre par cœur et le mot d'ordre est le même : répéter.

La règle générale pour former le féminin dans les adjectifs, c'est d'ajouter un e muet au masculin.

Les adjectifs terminés en eux au masculin changent l'x en [s] avant de prendre l'e muet.

1. Mon père est tendre, dévoué, affectueux pour moi ; aussi je l'aime de l'amour le plus vrai, le plus cordial et le plus constant. Ma mère est tendre, dévouée, affectueuse pour moi ; aussi je l'aime de l'affection la plus vraie, la plus cordiale, la plus constante.

2. Une santé florissante n'est point une garantie de longue vie ; et telle personne qui est aujourd'hui bien portante peut demain être étendue sur sa couche funèbre : la mort est très-souvent imprévue, subite, foudroyante.

3. Combien est vive la joie du nautonier dont la fragile embarcation, après avoir traversé la mer ordinairement si agitée, si capricieuse et si terrible dans les jours de tempête, découvre enfin le port qui doit être le terme de sa navigation périlleuse : quelle sera donc la joie de l'âme juste quand, terminant

sa laborieuse carrière d'ici-bas, elle verra s'ouvrir devant elle le port de la patrie céleste !

F. P. Bransiet, *Cours élémentaire d'orthographe*, 1869

Quelle que soit la confession, les vices sont toujours plus intéressants que les vertus. Les dictées les évoquent, de loin, du bout des lèvres, avec dégoût mais avec une pointe de complaisance. Qui sait ? D'un vice pourrait naître une vertu.

Un des plus grands magistrats de l'ancienne France, le chancelier d'Aguesseau, avait une femme qui avait toutes les vertus ; mais comme il n'y a pas de lumière sans ombre, au milieu de toutes ses vertus, la chancelière avait un petit défaut ; elle était toujours en retard. Elle appartenait à cette race de gens malheureux qui sont venus au monde un quart d'heure trop tard et qui courent toute leur vie après ce maudit quart d'heure sans pouvoir jamais le rattraper. Le chancelier avait fait des observations ; elles n'avaient pas eu de succès. En désespoir de cause, il fit mettre dans la salle à manger un pupitre, une plume, de l'encre et du papier blanc, et pendant le quart d'heure que tout autre eût perdu avant le déjeuner et le dîner, le chancelier écrivait. Il faisait un livre qu'on lit encore aujourd'hui. (Laboulaye)

Certificat d'études du 7 juillet 1905, Sens, Yonne

189

Noli me tangere, la chancelière ! Même dans le catéchisme laïque le péché est du côté du féminin et, comme toujours, la mère de tous les vices, c'est la paresse.

Oui, il y a de jeunes enfants bien doux, bien bons, bien sages... Ah ! qu'ils sont heureux ces enfants-là, et leurs parents aussi...

Mais les enfants paresseux qui n'aiment pas à apprendre à lire, les enfants qui bâillent à la vue de leur alphabet, ceux qui trouvent les leçons toujours trop longues, ceux qui ne pensent qu'au jardin et qui n'apportent aucune attention à leurs petits devoirs. Ceux-là sont bien malheureux.

L. Debierne-Rey, *Dictées de l'enfance*, 1875

Malheureux pourquoi ? Parce qu'ils sont en passe de devenir des ratés.

Comme tous les ratés le paresseux est envieux : il est jaloux de ceux qui travaillent, et sa malveillance en fait un calomniateur. À un camarade qui a vaillamment travaillé et qui est arrivé à une situation, il dit : « Tu en as de la chance ! » On est tenté de lui répondre : « Non, je n'ai pas eu de chance ; mais pendant que tu restais au lit tard le matin, pendant que tu buvais et jouais durant des heures chaque jour, je travaillais. On récolte ce qu'on sème ; tu n'as pas semé, il n'est pas étonnant que tu n'aies pas de récolte à engranger. »

Les fainéants qui n'ont pas réussi dans la vie, sont les plus acharnés à décrier les hommes qui font honneur à leur pays. Le paresseux est aigri, mécontent, envieux et méchant. (Payot)

Certificat d'études, Aveyron, 1907

Non loin derrière l'oisiveté (celle qui, dans les allégories, mène au désespoir et au suicide), il y a le mensonge.

Chérubins, mes amours, savez-vous que le rouge monte au visage des petits garçons et des petites filles qui mentent..., c'est bien vrai... Aussitôt que les enfants ne disent pas la vérité, leurs joues sont rouges, rouges... Il semble qu'elles disent, vos joues : « menteur »..., puisque les mensonges se lisent sur les visages, vous ne mentirez jamais, chérubins.

L. Debierne-Rey, *Dictées de l'enfance*, 1875

Le mensonge est le crime capital de l'écolier, non seulement parce qu'il fait mentir l'adage selon lequel « la vérité sort de la bouche des enfants », mais surtout parce qu'il empêche l'instituteur d'évaluer les petits copieurs. L'instituteur peut leur faire peur, en leur dictant des histoires réelles de camarades coupables tombés dans la rivière. S'il se veut plus doux, il emploie la fable et la métaphore, afin de faire comprendre que ce sont les petits travers qui font les grandes rivières du Vice, celles où finissent les enfants menteurs. Les petits défauts ne sont pas des éléphants.

Il ne faut pas mépriser les petits défauts. Il n'est si petit ennemi qui ne puisse nuire à la longue. Ce ne sont pas les éléphants qui détruisent les moissons et ruinent les laboureurs dans les plaines de la Beauce, ce sont les sauterelles et les petites chenilles, quand les blés sont en herbe ; les charançons et autres insectes imperceptibles, quand ils sont mûrs.

D'ailleurs un petit défaut est toujours le commencement d'un grand ; les vices eux-mêmes sont les enfants des petits défauts. Rien ne grandit et ne grossit plus vite qu'un petit défaut ; rien ne multiplie plus promptement.

La vanité passe pour être un petit défaut. Pas si petit ! car elle ment toute la journée. Quand vous faites une faute, qui est-ce qui, au lieu de l'avouer, la nie ? C'est elle. Quand un autre fait mieux qu'elle, qui est-ce qui refuse de confesser son infériorité et de reconnaître la supériorité d'autrui ? C'est elle encore.

Le mensonge est donc le fils de la vanité. Je lui vois en outre deux filles, toutes deux pires l'une que l'autre : la jalousie et l'envie, d'où naît fatalement la haine, mère à son tour de bien des crimes. Que dites-vous de votre petit défaut de sa jolie progéniture ? (P.-J. Stahl, *Morale familière*)

A. Viales, *La Première Année d'éducation et d'enseignement postscolaires des jeunes filles*, 1911

Lorsqu'on a accepté l'autorité arbitraire des règles de la grammaire et de l'orthographe, on est prêt à se soumettre à toutes les lois, mêmes les plus injonctives et les plus exigeantes. Joignant l'utile à l'utile, l'instituteur, maître des mots, devient du même coup maître des mœurs. S'il ne sonde pas les reins et les cœurs, lorsqu'il dicte, il est omniscient et omnipotent : debout ou assis, jouissant d'un point de vue panoramique, il voit tout, entend tout, ayant même le pouvoir suprême, celui de la grâce, lorsqu'il va écrire au tableau un mot compliqué ou décider d'accentuer les liaisons et les « e muets ». Pendant ce temps, les écoliers front baissé, oreilles dressées (et parfois l'œil louchant sur la copie du voisin), suspendus aux lèvres du maître, cherchent dans sa diction impitoyable le salut par les *e*, les *er* et les *ée*. Prédicateur laïque, l'instituteur fait la leçon en donnant des leçons. Au bout du chemin du bon usage, se trouve le souverain bien. Le voici, dans les mots du dieu Renan, qui s'adresse aux élèves par la bouche de l'instituteur :

Je ne vous enseignerai pas l'art de faire fortune, ni, comme on dit vulgairement, l'art de faire son chemin : cette spécialité m'est assez étrangère. Mais touchant au terme de ma vie, je veux vous dire un mot où j'ai pleinement réussi : c'est l'art être heureux. Eh bien, pour cela, les recettes ne sont pas nombreuses ; il n'y en a qu'une, à vrai dire : c'est de ne pas chercher le bonheur, c'est de poursuivre un objet désintéressé, la science, l'art, le bien de nos semblables, le service de la patrie. Notre bonheur, sauf rares exceptions, est entre nos mains. Voilà le résultat de mon expérience :

Retour au Bled

Mais où est donc Ornicar ?

Au XIXe siècle, encore nombreux sont ceux qui ne maîtrisent pas le français. Les langues régionales et les patois sont le quotidien. Le français est parlé par l'autorité, le député, le maire, le noble, le curé et bien sûr l'instituteur. De Guizot en 1833 à Ferry en 1882, les lois scolaires veulent harmoniser la manière de s'exprimer. La francisation des campagnes passe par les dictées. Celui qui patoise est écouté avec mépris. Puisque l'enjeu est de conforter le sentiment national, de Strasbourg à Brest et de Marseille à Cherbourg, les Français doivent parler, lire, écrire une même langue.

Dans le monde des dictées, chacun a sa place et tout est bien rangé. La hiérarchie est solidement inscrite, à l'encre violette, dans la tête de l'écolier : l'instituteur domine l'élève, le papa commande la maman, et tout le monde a un rôle à tenir. À l'instar des écoles, il y a une France pour filles et une pour garçons. La classe n'est unique que dans les petits villages. La loi Haby, en 1975, impose la mixité partout : pour apprendre le pluriel des noms, la règle de l'*x* est plus compliquée que celle de l'XY.

Dans un grand magasin

Maman regarde les chapeaux, les manteaux et les bijoux. Papa est allé au rayon des marteaux, des ciseaux à bois, des râteaux, des tuyaux d'arrosage. Moi, je voudrais des joujoux, des pinceaux et des cerceaux.

G. Galichet, G. Mondouaud, *Je découvre la grammaire et l'orthographe*, 1963

Dans une France bien cloisonnée, quelle place laisser à l'autre, à celui qui est différent ? La dictée se charge de régler la question. Une fois posés les principes d'égalité, elle condamne l'intolérance.

L'intolérance de nos jours

L'intolérance prend, de nos jours, différentes formes. Sans doute, on ne brûle plus ses adversaires religieux ou politiques, mais on les injurie, on les calomnie, on cherche à jeter le discrédit sur la cause qu'ils soutiennent, en les déshonorant.

On affirme d'un ton d'autorité que leur opinion est immorale et ne saurait être professée par les honnêtes gens ; ou encore on a recours à la raillerie pour jeter le ridicule sur des croyances respectables.

D'autre part, si notre position sociale nous offre les moyens de nuire matériellement à ceux qui ne pensent pas comme nous, de les atteindre dans leurs intérêts, on ne se fait pas scrupule d'en user. On voit des patrons refuser de l'ouvrage à un ouvrier, de l'avancement à un employé : des propriétaires renvoyer un fermier, parce que ceux-ci ne partagent pas leurs croyances.

L'injure, la calomnie, les abus de pouvoir restent des choses mauvaises, quel que soit le but que l'on poursuive par leur moyen. On ne saurait trop le répéter : la fin ne justifie pas les moyens. (De la Hautière, extrait du *Précis de Morale pratique*)

A. Viales, *La Première Année d'éducation et d'enseignement postscolaires des jeunes filles*, 1911

Au XVIIIe siècle, l'abbé Charles François Lhomond fut un des précurseurs de la mise en forme grammaticale de la langue. Ses *Éléments de grammaire française* ont servi à des générations d'élèves et ils sont encore utilisés au milieu du siècle suivant. En 1836, alors que l'orthographe n'est pas complètement fixée, le professeur Peigné, du collège de Meaux, s'appuie sur l'abbé Lhomond pour proposer ses propres *Éléments de la grammaire française*. Douze ans avant l'abolition de l'esclavage, il y ajoute quelques dictées sur la manière dont les hommes traitent leurs semblables.

C'est le travail qui fait connaître la véritable valeur de l'homme, de même que le feu développe les parfums de l'encens.

Il y a encore des hommes assez dénaturés pour acheter et pour vendre d'autres hommes. On ne saurait trop flétrir un trafic aussi odieux.

Ta mère t'a prodigué les soins les plus tendres : aime-la de tout ton cœur.

Les marchands d'hommes vont les chercher sur les côtes d'Afrique.

On les entasse au fond d'un navire ; quelquefois on les met dans des tonneaux ; et si le vaisseau est visité en route, on les jète [sic] à la mer comme on y jeterait [sic] des marchandises prohibées.

A. Peigné, *Éléments de la grammaire française de Lhomond*, 1836

À Paris, les enfants qui suivent les cours de Caroline Boblet sont parés pour l'avenir : son établissement fondé en 1826 se fait vite un petit nom. Ah, Mme Boblet aime beaucoup les dictées, elle les publie d'ailleurs dans des cours complets d'orthographe, *enseignée par la pratique aux enfants de 7 à 9 ans*. Mme Boblet se marie en 1839 et se fait désormais appeler Mme Édouard Charrier. Un nom formidable pour charrier les clichés racistes.

Ces deux nègres jumeaux se croient fort beaux ; regardez-les bien, Pauline : leurs cheveux sont crépus et frisés comme la laine des moutons, ils ont les lèvres épaisses et rondes comme des bourrelets, des nez larges, courts et épatés ; ne les trouvez-vous pas très-laids ? Tous les Africains ne sont pas des noirs ; ainsi, il y a en Afrique, près du cap de Bonne-Espérance, *les Hottentots qui sont couleur de suie ; les Egyptiens, les Berbères ne sont pas noirs non plus.*

Mme É. Charrier, *Cours complet
d'orthographe*, 1846

La dictée est intriguée par l'homme noir. Pas besoin de plonger dans les temps reculés de l'obscurantisme pour y trouver le vocabulaire de la méfiance. Au XIXe siècle, l'Africain n'est ni un homme de couleur ni un « black » : il est le « nègre », un sauvage porteur de mauvais sorts. Au lendemain de la grande Exposition coloniale de 1931, il étonne toujours et pique sa place au loup. Le fantasme de l'homme noir, voilà le plaisir caché de Nicole dans son lit, en quête du frisson et de l'orthographe des « mots commençant par *eff* », comme « effrontée ».

Les sauvages

Le soir, dans son lit, Nicole a lu des histoires de nègres. La nuit, elle rêve : des sauvages à la mine effarante entrent dans sa chambre. Nicole pousse des cris d'effroi. La maman arrive ; elle saisit sa fille dans ses bras, effleure son front d'un doux baiser et bientôt le mauvais sort s'efface.

L. Dumas, *Le Livre unique de français,
cours élémentaire et moyen*, 1934

Au début des années 1960, les anciennes colonies d'Afrique ont beau avoir obtenu leur indépendance, l'Africain des dictées demeure le « nègre ». Selon les stéréotypes, il est joyeux et il amuse. À peu de chose près, il danserait puisqu'il a le rythme dans la peau.

Au cirque

Le dompteur est entré dans la cage du tigre. Une spectatrice a peur. Puis un nègre monté sur un âne fait rire les spectateurs. Une danseuse habillée en princesse est applaudie par ses admirateurs et ses admiratrices.

G. Galichet, G. Mondouaud, *Je découvre la grammaire et l'orthographe*, 1963

Dans les années 1970, la dictée s'intéresse toujours à celui qui porte une couleur différente. Le noir n'est plus un nègre mais il est toujours aussi souriant. L'écolier en voit la caricature chaque matin devant son bol de Banania. La dictée souligne hélas avec insistance, dans le marché indigène, le bruit et l'odeur, déjà.

Un marché indigène

C'est un marché riant, joyeux, bruyant, odorant. Tout au long des avenues, les femmes indigènes se sont installées. Leurs marchandises sont devant elles sur des nattes ou dans des corbeilles d'osier, ou dans de grandes cuvettes d'émail. Il y a tant de choses à ce marché que je renonce à les identifier. Les femmes noires rient, s'apostrophent, marchandent tout comme peuvent le faire les camelots de chez nous. Et, avec la chaleur qui monte, montent les odeurs de victuailles, de fruits, de corps suants.

Entrée en sixième, Guides pratiques Bordas, 1975

La dictée est lente à comprendre l'évolution du monde et elle garde les réflexes missionnaires d'une France civilisatrice, voire parfois raciste. Les héros sont alors Bugeaud, Brazza, Faidherbe et bien sûr Lyautey. Avec son orthographe compliquée, les candidats au certificat d'études, dans le protectorat du Maroc, le retrouvent non seulement à tous les coins de rue mais aussi dès le début de l'épreuve.

Lyautey au Maroc

À beaucoup il parut insensé, qui le voyaient couler dans de mortes étendues sans fin des routes d'acier, où ses autos roulaient plus vite que la mort, jeter des ponts sur des cols inaccessibles, tracer des voies ferrées là où de mémoire d'homme n'avaient traîné que de rares chameaux, bâtir une gare en plein désert de cailloux avant même que ne fût créé le village qu'elle allait desservir... C'est que l'heure présente lui importait peu ; il voyait plus loin, et son audacieuse obstination a forcé le miracle. Les maisons, en quelques années, ont rempli les vastes espaces, témérairement jalonnés en avenues, autour de quatre baraques. Un jeune empire vigoureux renaît des pierres croulantes. (Jean Ravennes, Aux portes du Sud)

G. Gabet, *Grammaire française par l'image*, 1946

La France éternelle, celle des dictées, n'a pas un moment de répit. Elle porte la lourde charge de civiliser le monde. C'est sa passion, c'est sa mission. Elle l'a fait dans toute l'Europe après la Révolution ; elle l'a fait sur tous les continents avec la colonisation. C'est éreintant. La France des dictées est championne de la fausse modestie quand elle affirme qu'il ne faut flatter personne, pas même son pays.

Il ne faut flatter personne, pas même son pays ; cependant je crois qu'on peut dire sans flatterie que la France a été le centre, le foyer de la civilisation de l'Europe. Il serait excessif de prétendre qu'elle ait marché toujours, dans toutes les directions, à la tête des nations. Elle a été devancée à diverses époques, dans les arts, par l'Italie ; sur le point de vue des institutions politiques, par l'Angleterre. Peut-être sous d'autres points de vue, à certains moments, trouverait-on d'autres pays en Europe qui lui ont été supérieurs ; mais il est impossible de méconnaître que, toutes les fois que la France s'est vue devancée dans la carrière de la civilisation, elle a repris une nouvelle vigueur, s'est élancée, et s'est retrouvée bientôt au niveau ou en avant de tous. Et non-seulement telle a été la destinée particulière de la France ; mais les idées, les institutions civilisantes, si je puis parler ainsi, qui ont pris naissance dans d'autres territoires, quand elles ont voulu se trans-planter, devenir fécondes et générales, agir au profit commun de la civilisation européenne, on les a vues, en quelque sorte, obligées de subir en France une nouvelle préparation, et c'est de la France, comme d'une seconde patrie, qu'elles se sont élancées à la conquête de l'Europe. Il n'est presque aucune grande idée, aucun grand principe de civilisation qui, pour se répandre partout, n'ait passé d'abord par la France. C'est qu'il y a dans le génie français quelque chose de sociable, de sympathique, quelque chose qui se propage avec plus de facilité et d'énergie que le génie de tout autre peuple.

A. Fabre, *Cours nouveau et complet de dictées graduées*, 1865

L'écolier français qui sue sur sa copie se dit que, tout de même, il a bien de la chance d'appartenir à un peuple génial. Si tous les hommes naissent libres et égaux, les Français le sont sans doute un peu plus que bien d'autres. Les dictées aiment regarder les gens qui vivent ailleurs. C'est tellement exotique. Le mythe du bon sauvage vivant en harmonie avec la nature traverse les siècles et arrive à Caen, pour le certificat d'études en 1954. C'est le texte d'un fier représentant des troupes coloniales qui est alors mobilisé : le capitaine Détanger, alias Émile Nolly, auteur en 1909 de *Hiên le Maboul*, un petit bûcheron annamite.

Un petit bûcheron annamite

Lorsqu'il eut dix ans, on lui trouva une profession convenable : il fut bûcheron. À l'aube, il pénétrait, la hachette sur l'épaule, dans la forêt et se mettait en quête d'une belle touffe de bambous ; toute la matinée, il coupait des bambous, revenait au village avaler une poignée de riz et quelques petits poissons séchés, et, tout l'après-midi, coupait ses bambous. Cette besogne toujours pareille et peu fatigante le satisfaisait pleinement. Seul, dans la clairière marécageuse, il tailladait consciencieusement... Du reste, la forêt lui était une amie : son cœur simple et fermé d'enfant sauvage lui avait voué un culte farouche. Hiôn [sic], les yeux fixes, les bras ballants, écoutait durant des heures respirer la forêt. (Emile Nolly)

Recueil de 100 examens complets proposés au C.E.P.E. 1954, 1954

L'écolier sait que la France est la mère des arts, des armes et des lois. Il a appris sa récitation. Il sait que la France a pour mission de civiliser le monde, il l'a écrit sous la dictée. Curieux, il s'interroge tout de même : qu'est-ce qui explique la perfection de son pays natal ? La dictée lui en donne la réponse : c'est chez nous qu'habite le roi des fromages !

Le fromage de Brie a mérité d'être couronné comme le roi des fromages, sous la restauration bourbonienne, dans un dîner donné par l'ambassadeur de France aux membres d'un congrès. Chacun de ces membres avait parié pour la préexcellence de l'un des fromages de sa nation. Le brie l'emportant à l'unanimité. De là le nom de « Talleyrand » donné par reconnaissance et comme parangon à certain brie de surchoix, moyenne grosseur, que l'on fabrique avec un soin tout particulier.

C. Juranville, *Dictées curieuses*, 1896

Parfois, comme le fromage, la dictée s'exporte. C'est le cas quand le brevet des collèges s'adresse aux écoliers hors de France. En 1988, la dictée pour l'Algérie concerne également l'Afrique du Sud, l'Angola, le Kenya, le Mozambique, l'Ouganda, le Rwanda, la Tanzanie, la Zambie. Pour ce public particulier, quel auteur et quel texte choisir ? Chateaubriand et *Le Génie du christianisme*, il va sans dire.

Un jour que nous étions arrêtés dans une grande plaine, un serpent à sonnette entra dans notre camp. Il y avait parmi nous un Canadien qui jouait de la flûte ; il voulut nous divertir, et s'avança contre le serpent avec son arme d'une nouvelle espèce. À l'approche de son ennemi, le reptile se forme en spirale, aplatit sa tête, enfle ses joues, contracte ses lèvres, découvre ses dents empoisonnées et sa gueule sanglante ; il brandit sa double langue comme deux flammes ; ses yeux sont deux charbons ardents ; son corps gonflé de rage s'abaisse et s'élève comme les soufflets d'une forge ; sa peau dilatée devient terne et écailleuse, et sa queue, dont il sort un bruit sinistre, oscille avec tant de rapidité, qu'elle ressemble à une légère vapeur.

Alors le Canadien commence à jouer sur sa flûte ; le serpent fait un mouvement de surprise, et retire la tête en arrière. À mesure qu'il est frappé de l'effet magique, ses yeux perdent leur âpreté, les vibrations de sa queue se ralentissent, et le bruit qu'elle fait entendre s'affaiblit et meurt peu à peu. (Chateaubriand, Le Génie du christianisme)

Brevet des collèges, juin 1988, Annales Vuibert, 1988

Le XIXe siècle invente les stéréotypes nationaux mais aussi raciaux. Des scientifiques classent les populations selon des critères de taille, de couleur ou de forme du visage. Le monde entier entre dans des cases qui sont très vite hiérarchisées. Il est désormais impossible d'en sortir et l'étranger se conçoit au singulier et avec un attribut, un adjectif attribut : l'Anglais est perfide, l'Italien querelleur, le noir est joyeux et bien entendu le Chinois est fourbe.

Les Chinois appartiennent à la race jaune. La beauté, chez eux, consiste dans un grand front, un nez court, des yeux étroits, obliques et bridés, de grandes oreilles, des cheveux noirs, un visage large et carré. Ce peuple est grave, très-poli, paisible et laborieux. Il cultive les arts avec talent et se fait remarquer depuis longtemps par une civilisation assez avancée, mais qui reste stationnaire. On dit qu'il est dissimulé, lâche, menteur et trompeur, indolent dans les classes supérieures et malpropre dans les classes inférieures. L'infanticide est commun chez les Chinois. L'instruction est très répandue : la connaissance du langage et l'art de l'écriture sont les parties les plus pénibles des études, à cause de la multitude des caractères. (D'après M. Cortambert)

A. Clément-Rochas, *Cours de dictées*, 1868

La dictée véhicule les clichés racistes et la peur de l'autre, dont on espère qu'il restera loin. Dans *Le Livre unique de français* de Lucien Dumas, l'écolier savoure les aventures de « Bambouno, le négrillon vantard » et frémit avec « Robinson et les cannibales ». Il retrouve un habitué des dictées, celui qui est ici chez lui mais demeure un étranger au village : le bohémien. Ce mot passe-partout sert à décrire des populations différentes mais les dictées ne s'embarrassent pas de subtilité. Leur arrivée au village trouble la monotonie. Viens voir les comédiens, les musiciens, les magiciens et chante avec Aznavour : les saltimbanques sont arrivés dans le village !

Les hommes qui sont vanniers sont allés offrir de porte en porte des chaises et des paniers. Les femmes, pendant ce temps, sont parties vers la foire voisine. Installées rapidement elles ont vendu quelques objets de peu de valeur, puis elles sont revenues préparer le repas. Quand ces nomades seront-ils partis ?

L. Dumas, *Le Livre unique de français,
cours élémentaire et moyen*, 1934

Quand il s'agit d'apprendre le féminin des noms, que le *er* fait *ère* et que le *n* ou le *t* se doublent, la dictée fait appel aux bohémiens, et le chien grogne.

*Une roulotte au village
Le bohémien tresse des corbeilles. Une paysanne le regarde avec méfiance et son chien gronde. La bohémienne est allée chez l'épicière, chez la boulangère et chez la bouchère.*

G. Galichet, G. Mondouaud, *Je découvre
la grammaire et l'orthographe*, 1963

Après avoir fait ses courses, que fait la bohémienne ? Elle promène dans la dictée toute la fantasmagorie romantique et danse autour du feu. Elle est à la fois Esméralda et voleuse d'enfants, vendeuse de paniers et diseuse de bonne aventure. Surtout, elle est libre. L'errance de la bohémienne – jamais bien loin de la bohème – fascine dans une France où la propriété foncière est sacrée.

La vieille roulotte

Se glissant à travers la foule, qui s'écartait difficilement pour lui livrer passage, et se refermait aussitôt derrière lui, un bizarre équipage fit son apparition sur le champ de foire. C'était une vieille, une antique roulotte suivie d'une remorque, le tout tiré par un âne. Les éléments qui composaient cet équipage ne semblaient tenir ensemble que par miracle. Le petit âne, épuisé, avançait tout de même au milieu des badauds, indifférents au pittoresque attelage. À la fenêtre avant de la roulotte, une petite fille d'une douzaine d'années était assise, auprès d'un vieillard décharné. Elle guidait l'équipage fantomatique jusqu'à un emplacement demeuré vide, entre la ménagerie et le tir... La fillette sauta à bas de la roulotte verdâtre, sur laquelle on lisait difficilement : Manège Greluche. (Jacques Chabannes)

M. Pieuchard, *100 nouvelles dictées au C.E.P.*, 1965

La dictée croit-elle en Dieu ? Elle est le reflet de son temps, imbibé de religion au moins jusqu'à la fin du XIXe siècle. Avec les lois sur l'école laïque en 1882, puis de la séparation des Églises et de l'État en 1905, Dieu quitte un peu les dictées. Il squatte toujours les manuels et les revues destinés à l'enseignement religieux. Bien peu de place est laissée aux autres religions, si ce n'est comme rappel historique. Dans les « dictées en texte suivi » de Gallien, en 1872, – qui n'était pas médecin mais ancien professeur de grammaire à l'École normale de Versailles –, Mahomet est présenté à la suite de l'œuf de Colomb, du Juif errant, des Templiers et juste avant Clovis dont le baptême a fait sensation. L'Islam à l'école n'a rien de polémique.

C'est l'Arabie qui l'a vu naître, et c'est bien un des hommes les plus extraordinaires qui aient existé, sous quelques points de vue qu'on l'examine. En effet, soit que nous l'étudiions dans sa personne même, son génie et ses doctrines ; soit que nous considérions l'influence si immédiate, si absolue, qu'il a exercée non-seulement sur son pays, jusqu'alors obscur, mais sur la terre tout entière, par les changements opérés dans les mœurs, les religions et les empires, par les invasions, les ravages, enfin les bouleversements de toutes sortes commencés par lui et accomplis par les propagateurs de ses croyances, nous sommes forcés de convenir qu'il n'y a pas eu de conquérants, ni de législateurs, ni d'apôtres, quels qu'ils aient été, dont la vie ait pesé d'un tel poids sur les destinées humaines.

Son enfance, restée sans protecteurs à six ans, fut confiée à la tutelle de son oncle ; et plus tard, sans biens d'aucune sorte, il trouva dans l'infime profession de chamelier, qu'il avait courageusement embrassée, les ressources que lui avait refusées la fortune. Il était plein de qualités aimables, et sa valeur avait brillé dans une guerre de tribus; mais sa probité surtout était estimée de chacun; elle le fit remarquer d'une riche veuve dont il avait géré les biens et qui l'épousa par reconnaissance. Tel fut le point de départ de son apostolat.

Les commencements n'en furent pas heureux. La nouvelle religion se vit repoussée, poursuivie, et ses partisans chassés de la Mecque. Les uns s'enfuirent dans l'Abyssinie, les autres, et avec eux Mahomet lui-même dans la ville d'Yatreb, appelée depuis Médine (622). C'est l'hégire, ou fuite, devenue l'ère des musulmans. Mais ces malheurs et d'autres qui avaient suivi furent bientôt réparés. Huit ans après, la Mecque était soumise et la plus grande partie de l'Arabie gagnée à la foi nouvelle.

Les dogmes du mahométisme sont empruntés à la religion chrétienne, à la religion juive, et au paganisme, avec grand renfort d'ablutions, de prières et de jeûnes, et interdiction absolue de porc et de vin.

J.-V. Gallien, *Exercices gradués sur la Grammaire française*, 1872

La question de l'autre, de l'étranger, se pose quand il est éloigné. Présent en France, qui est-il sinon un concitoyen dont les enfants vont à l'école de la République, écrivent les mêmes dictées et obtiennent le certificat d'études ? Même Mme Édouard Charrier, dont les dictées transpirent le racisme, reconnaît que sont français tous ceux qui sont nés en France.

La France est une contrée de l'Europe, tous ceux qui y sont nés sont des Français ; vous, Ernest, vous êtes un français. Les hommes qui sont nés dans l'Angleterre se nomment les Anglais. John est anglais.

L'hiver est venu. La fauvette ne chante plus. Aucun oiseau ne fait entendre son ramage. – Où le rossignol est-il maintenant, petite mère ? – Je n'en sais rien, Gaston.

Mme É. Charrier, *Cours complet d'orthographe*, 1846

La dictée est-elle raciste ? Elle est surtout à l'image de la société qui la produit. L'affaire est compliquée : la dictée a toujours quelques années de retard et forme les esprits d'enfants qui seront adultes dans un tout autre monde. Ils continueront peut-être de faire des dictées et elles seront remarquables.

Les dictées remarquables

Si six scies scient six cigares, alors six
cent six scies scient six cent six cigares.

Inclassables ou à double sens, perfides ou per-
verses, certaines dictées méritent une relecture soignée. Gourmands, coquins et déprimés, aiguisez vos
plumes !

Dictées gourmandes

Les mots se savourent, s'égrènent, s'épellent, se
goûtent, promesses de saveurs roboratives ou déli-
cates ; les dictionnaires s'épluchent ; les manuels ont
beau être pleins de recettes pour réussir en orthographe, les dictées demeurent truffées de fautes :
le vocabulaire de la table de cuisine et celui de la
table d'écolier sont faits l'un pour l'autre. Ils offrent
la même simplicité apparente, intraitable et qui ne
pardonne rien, le même goût du respect de l'ordre
et des impératifs, comme dans cette recette de la

si ingénue et si délicieuse crêpe Suzette, à ne pas confondre avec le crêpe georgette.

Râpez le zeste de deux oranges, mélangez avec cent grammes de beurre, soixante grammes de sucre et une cuillère de rhum, étalez cette crème sur chaque crêpe, pliez celle-ci en deux, mettez vite sur un plat chaud et servez bouillant. C'est la crêpe Suzette.

G. Galichet, G. Mondouaud, *Je découvre la grammaire et l'orthographe*, 1963

De la tête-de-nègre – souvent rebaptisée boule au chocolat, de même que les bamboulas d'Auxerre ont changé de nom – aux pieds de mouton, la dictée gourmande pose l'épineux problème de l'homonymie, tout en permettant de se livrer au plaisir si français du calembour et du jeu de mots.

Tu sauras, ma chère Amélie, que j'ai assisté dernièrement à un superbe festin chez un de mes oncles. Le repas de notre amphitryon avait lieu dans un restaurant près du théâtre de la Porte-Saint-Martin ; c'était magnifique. Je ne saurais te dire combien de sortes de vins ont été distribués : j'y ai vu tour à tour du bordeaux, du champagne, du madère, du malaga, et tu n'ignores pas que les vins de Bordeaux, de Champagne, de Madère, de Malaga, ne se servent que dans les grandes occasions. Les garçons passaient continuellement en nous disant à l'oreille de cette voix que tu connais : du clos-vougeot, de l'aï mousseux, du frontignan, du chablis, du lunel. Je n'ai pas entendu offrir le Johannisberg ni le Tokai, car le vin de Johannisberg et de Tokai se vendent à des prix fabuleux. Sur la table ornée d'une charmante corbeille de reines-marguerites cueillies par notre amie Marguerite, il y avait des gourmandises et des friandises à profusion : des charlottes russes, des madeleines, des savarins, etc., etc. Mes deux petites nièces, Charlotte et Madeleine, en ont mangé à cœur joie. Puis, c'était des bavaroises en gelée, des macédoines de légumes, des poulardes du Mans, des pâtés de foie gras de Strasbourg, des terrines de Nérac. Et des sauces donc ! à la flamande, à la hollandaise, etc., etc. Tous les fromages renommés ont passé sous nos yeux et, aussi, hélas ! sous notre nez... que te nommerai-je ? le chester, le roquefort, les marolles, les camemberts, le brie. Ces divers fromages nous viennent de pays dont ils portent le nom : de Chester, ville d'Angleterre ; de Marolles, de Camembert, et enfin de la Brie. Je n'ai pas vu figurer le hollande, le parmesan et le gruyère, qui ont bien leur petit mérite. Comme dessert, j'ai mangé une reine-claude délicieuse ; Louise, ma voisine, a mangé une poire appelée louise-bonne et une duchesse d'angoulême. Il y avait près de moi une Angevine qui a dévoré une belle angevine en quelques minutes. Plusieurs convives ont mangé des messires-jeans, des saints-germains, des martins-secs, etc. On a bu aussi du curaçao venant réellement de Curaçao, une des Antilles, et de la chartreuse achetée directement à la Grande-Chartreuse. On aurait dit, ma parole, qu'on avait à traiter un bey ou un calife, un dey ou un émir, un schah ou un pacha, un tsar ou un sultan, ou bien le Grand Kan, le Grand Mogol, le Grand Seigneur et le Grand Turc.

C. Juranville, *Dictées curieuses*, 1896

La dictée donne aussi le loisir d'être un tantinet sadique. Quel instituteur, l'estomac dans les talons, le moral parfois dans les chaussettes, n'a pas gagné la paix et le calme, interrompu seulement par les borborygmes de ses élèves, en annonçant : « Prenez une feuille et un stylo ! » La dictée-surprise, avant l'appel de la cloche et le brouhaha du réfectoire, c'est pain bénit pour l'instituteur affamé de silence. Cantiniers et cantinières sont moins sévères : ils n'hésitent pas à mettre un peu d'eau dans leur vin et d'en proposer aux élèves. Qu'y avait-il le 29 janvier 1874 à la cantine ? Pendant que les élèves sont les dindons de la farce, à l'Ermitage, on se goberge.

Menu du 29 janvier 1874
Dîner
Hors-d'œuvre à la russe.
Potage à la jambe de bois.
Rissoles de gibier.
Tartelettes de foie de lottes.
Rastiguais de saumon.
Sterlet au vin de Champagne.
Filet mignon aux truffes fraîches.
Côtelettes de foie gras en belle vue.
Punch ananas.
Petit pois frais de France au beurre d'Isigny.

Faisan de Bohême.
Gélinottes et cailles truffées rôties.
Salade laitue et concombre frais.
Parfait vanille à la moscovite, à la Périer.
Dessert

C. Juranville, *Dictées curieuses*, 1896

Gélinotte, avant d'être l'admirable pouliche de
la « Madone des Sleepings », est l'autre nom de la
perdrix, qui ne se déguste plus guère aujourd'hui.
Peu charnue, elle a été remplacée par la caille qui,
comme chacun sait, est plus grassouillette. Des polis-
sons mal intentionnés, mal renseignés, pourraient
croire que Clarisse Juranville affabule ou bien qu'elle
a abusé du punch ananas. Naturellement ils ont tort.
Tout, absolument tout est bon, non seulement dans
le cochon mais aussi dans ce menu baroque : les
rastiguais (à ne pas confondre avec les Rastignacs)
sont de petits pâtés à servir en entrée à côté d'un
simple sterlet (un esturgeon) et après le très robo-
ratif potage à la jambe de bois, version lyonnaise
du pot-au-feu.

Comme la grande cuisine et la littérature enfantine, ce genre de dictées s'adresse au moins autant
aux adultes. Quel estomac enfantin, même au temps
de la cuisine bourgeoise, supporterait tout cela ? Quel
petit Pantagruel des lettres serait à même d'avoir
autant de vocabulaire, même si, comme chacun
croit, le niveau, toujours, baisse ? Pour connaître
toutes ces subtilités, mieux vaut être un caïd du
Quid. Être fayot ne suffit pas, encore faut-il avoir

de la bouteille. Avec la gastronomie, la dictée pour adulte est une particularité française. Elle s'exporte et concourt au rayonnement de la francophonie.

POUR ADULTE SEULEMENT

Avec le champagne et la haute couture, la dictée pour adulte est un luxe français. Il se déguste avec volupté et se veut raffiné. Comme le *French kiss*, il est aux yeux des autres excessivement passionné : de cet amour fol, il faut être français pour en comprendre la logique. René Thimonnier, auteur du *Code orthographique et grammatical* en 1970, eut l'idée diabolique d'en faire « la dictée du diable ».

Les Français disputent à l'envi de leur orthographe. Qu'elle ait fâcheuse réputation, on n'en saurait douter. Qu'on n'en conclue pas qu'elle est illogique. Quelques problèmes qu'elle pose (et ils sont nombreux), quelles que soient les difficultés qu'elle soulève, quelque embrouillées qu'en paraissent les règles, elle n'exige qu'un peu de travail et de méthode. Les grammairiens ne se sont pas seulement donné la peine de la codifier : ils se sont plu à la rendre accessible. Quoi qu'on en ait pu dire, le travail auquel ils se sont astreints n'a pas été inutile. Les efforts qu'il a coûtés, les recherches qu'il a nécessitées ne doivent pas être sous-estimés.

Que ce soit ignorance ou laisser-aller, beaucoup trop d'élèves tombent sans remords dans les traquenards de l'écriture. On hésite maintes fois avant d'écrire les infinitifs accoter, accoster, agrandir, agripper, aggraver, alourdir, aligner, alléger, apurer, aplanir, aplatir, appauvrir, etc. On s'embrouille fréquemment dans les suffixes : ceux par exemple d'atterrir et amerrir ; de tension et rétention ; de remontoir et promontoire, de prétoire et vomitoire ; de vermisseau, souriceau, lapereau, bicot et levraut ; de trembloter, toussoter, crachoter, frisotter, ballotter, grelotter ; de gréement, dévouement, repliement, éternuement, braiment, châtiment ; de gaiement, gentiment, éperdument, ambigument, dûment, crûment, etc.

Qu'on ne croie pas ces distinctions injustifiées. Quoiqu'on n'en voie pas toujours la raison sur-le-champ, on n'en saurait vraiment diminuer le nombre qu'aux dépens de la clarté. Hormis quelques-unes, elles ne sont dues qu'au souci de distinguer graphiquement les particules homonymes. Les quelque quatre mille familles de mots qui figurent dans notre lexique sont, au surplus, régulières. Le radical y apparaît constamment sous la même forme. Certaines font désormais exception : celles notamment où l'on trouve les mots baril, baricaut ; combattant, combatif ; cantonade, cantonal ; charroyer, charretée ; encolure, accolade ; déshonorer, déshonneur ; irascible, irriter ; occurrence, concurrence ; follement, affolement ; prud'homie, prud'hommesque ; persifler, sifflotement ; insuffler, boursouflure ; consonance, dissonance ; imbécile, imbécillité, etc. Quant aux désinences verbales, elles sont parfois difficiles à appliquer. Sachons écrire sans hésitation celles de l'impératif (va, cueille, tressaille), du subjonctif (que nous criions, fuyions, ayons, soyons), du futur (j'avouerai, tu concluras, il nettoiera, j'essuierai, tu tueras, nous mourrons, vous pourrez), du présent (je revêts, tu couds, il geint, je répands, tu feins, il résout, je harcèle, tu râtelles, il martèle, je cachette, tu époussettes, il furète, j'écartèle, tu halètes, il cisèle, etc.)

Ce texte, où l'on n'a voulu citer que des mots du vocabulaire courant, montre que notre orthographe est souvent compliquée, voire ambiguë, sinon arbitraire. Mais elle est inséparable de la langue. Même les écrivains lui restent attachés. Ils sont pourtant, plus que d'autres, en butte à ses tracasseries, c'est-à-dire plus souvent exposés à tomber dans ses chausse-trapes. Quoi qu'en pensent ses détracteurs, elle est affaire, tout à la fois, de réflexion et de mémoire. Ses subtilités mêmes imposent une salutaire discipline. Quels que soient les efforts qu'elle exige, il faut bien qu'on l'acquière. N'est-elle pas, comme le dit Sainte-Beuve, « le commencement de la littérature » ?

René Thimonnier, 1970

La légende veut que le professeur Thimonnier soit parti d'une dictée proposée à ses élèves de troisième. Si les légendes sont là pour nous faire rêver, ce qui est sûr c'est que la tradition française de la dictée infaisable commence en 1857, au palais de

Compiègne. Là prospèrent Mérimée ainsi que la cour de Napoléon III. Eugénie de Montijo, son épouse depuis quatre ans, n'a guère bonne presse. À son propos, Victor Hugo vitupère : « L'Aigle a épousé une cocotte. » Mme Hippolyte Fortoul, épouse du ministre de l'Éducation, la qualifie plus simplement d'aventurière. Voici la dictée écrite pour elle par Mérimée.

La dictée de Mérimée

Pour parler sans ambiguïté, ce dîner à Sainte-Adresse, près du Havre, malgré les effluves embaumés de la mer, malgré les vins de très bons crus, les cuisseaux de veau et les cuissots de chevreuil prodigués par l'amphitryon, fut un vrai guêpier.

Quelles que soient, quelque exiguës qu'aient pu paraître, à côté de la somme due, les arrhes qu'étaient censées avoir données la douairière et le marguillier, il était infâme d'en vouloir pour cela à ces fusiliers jumeaux et malbâtis et de leur infliger une raclée, alors qu'ils ne songeaient qu'à prendre des rafraîchissements avec leurs coreligionnaires.

Quoi qu'il en soit, c'est bien à tort que la douairière, par un contresens exorbitant, s'est laissé entraîner à prendre un râteau et qu'elle s'est crue obligée de frapper l'exigeant marguillier sur son omoplate vieillie.

Deux alvéoles furent brisés, une dysenterie se déclara, suivie d'une phtisie.

« Par saint Martin, quelle hémorragie ! » s'écria ce bélître.

À cet événement, saisissant son goupillon, ridicule excédent de bagage, il la poursuivit dans l'église tout entière.

« Badinguette » aurait fait... soixante-deux fautes ! Eugénie étant espagnole, le français n'était pas sa langue maternelle. La dictée comptant près de deux cent cinquante mots, ce n'est finalement pas si mal. Son mari, tout empereur qu'il fût, en aurait fait soixante-quinze. Tels les cuisseaux de veau et les cuissots de chevreuils, le vocabulaire est pour le moins indigeste. Entre les *y*, les *h*, les accents circonflexes, les trémas et les double lettres, il faudrait être un ogre orthographique pour parvenir à digérer tout cela. Un tel glouton *ès* lettres existe : il s'agit du prince de Metternich, pourtant autrichien, avec seulement trois fautes.

Par saint Maclou ! Un champion de dictée qui n'est pas francophone ! Bernard Pivot, l'âme, avec Micheline Sommant, des superbes Dicos d'or s'est amusé à réparer l'erreur, sans ajouter de fautes. Cette nouvelle dictée a été lue au palais de Compiègne, à l'occasion du bicentenaire de la naissance de Mérimée, en 2003.

Napoléon III : ma dictée d'outre-tombe

Moi, Napoléon III, empereur des Français, je le déclare solennellement aux ayants droit de ma postérité et aux non-voyants de ma légende : mes soixante-quinze fautes à la dictée de Mérimée, c'est du pipeau ! De la désinformation circonstancielle ! De l'esbroufe républicaine ! Une coquecigrue de hugoliens logorrhéiques !

Quels que soient et quelque bizarroïdes qu'aient pu paraître la dictée, ses tournures ambiguës, Sainte-Adresse, la douairière, les arrhes versées et le cuisseau de veau, j'étais maître du sujet comme de mes trente-sept millions d'autres. Pourvus d'antisèches par notre très cher Prosper, Eugénie et moi nous nous sommes plu à glisser çà et là quelques fautes. Trop sans doute. Plus que le cynique prince de Metternich, à qui ce fieffé coquin de Mérimée avait probablement passé copie du manuscrit.

En échange de quoi ?

D'un cuissot de chevreuil du Tyrol ?

Si les Dicos d'or ont fait beaucoup de bien à la dictée, à commencer par lui donner des émules, ils sont loin d'être les seuls représentants de la dictée pour adulte. Amateurs de dictées farfelues, familiales, voire foutraques (qui est dans le Larousse), partons en *Vacances en caravane* avec Robert Sabatier, Jérôme Duhamel, et avec cinq cents A dans la glacière !

Papa se leva à l'aube, avala son Banania ; se lava, s'habilla, alla vers l'abracadabrant fatras de cabas amassés en grand tas et transvasa dare-dare nos bagages de la véranda à l'attelage garé devant l'habitat. Mais, ratant une marche, il s'étala sur des gravats dans l'allée et arriva en sang à la caravane déjà attelée. On prenait du retard... « Ah çà ! ces aléas, c'est agaçant ! » cria maman Amanda, vacharde. Mais elle pansa la plaie au bras du malade, la bandant avec du sparadrap. « Rien d'alarmant », constata Amanda, ravalant ses larmes.

Et papa maugréa : Mea culpa, mea maxima culpa !

Notre armada démarra alors. Les quatre enfants, mâchant qui un Carambar, qui un Malabar, étaient tassés à l'arrière de l'auto, applaudissant par avance aux vacances naissantes et rêvant, sacrés chenapans, à la plage, au sable, aux bains, aux camarades à se faire...

Il y avait là Sarah, Nadia, Pascal et Alain. On traversa Arras, Paris et l'Auvergne avant d'arriver dans l'avenant arrière-pays cannois. Papa abaissa le carreau et une rafale d'air chaud nous gagna.

Arrivant au camping, papa planta là sa smala, détacha la caravane, débarrassa les bagages, porta notre pesant kayak à l'avant d'un hangar à bateaux où, harassé et ahanant, il attacha l'amarre. Puis, embrassant le paysage du regard, il déclama du tac au tac : « Mes enfants, cette plage, c'est Copacabana ! Ce camping, c'est l'Alhambra ! vite un pastaga ! » Et s'esclaffant, il s'empara de l'anisette et des glaçons.

Auparavant, il nous avait harangués : « Allez les Apaches, au travail : il faut ramasser des branches pour allumer un beau brasier. À l'attaque ! » Nous armant de courage, nous allâmes arracher des rameaux de châtaigniers ou d'acacias qu'on attacha en fagots, chantant la Petite cantate de Barbara.

Au camp, à part des chats miaulant, il y avait un tas de Français, mais aussi de pâles Anglais, accaparant les parasols, de bruyants et farauds mâles italiens cancanant au passage des nanas des Pays-Bas qui minaudaient, des Espagnols acariâtres parasitant la plage, d'affables mammas de Sardaigne déclamant des Ave Maria, des marâtres allemandes allaitant, accablées, de gras et braillards marmots, quatre Américains de l'État d'Alabama travaillant à la Nasa et, faisant bande à part, Abdallah, un Marocain ressemblant à l'Aga Khan...

Au total, un amusant caravansérail !

Arriva l'instant du repas. Affamés [sic], maman nous acheta à manger : carottes, radis, pâtes carbonara au lard et baba. On s'esclaffa quand papa nappa les babas de caramel et les flamba à l'armagnac, enflammant la nappe et le tablier de maman.

Ah ! On attaque là d'amusantes vacances.

Il est amusant de constater que les plaisirs de la bouche se mêlent à ceux de la langue. Dans ces dictées d'adultes, l'appétit pour le français et le mot rare ne va pas sans celui de la bonne chère.

Ces dictées pour adulte sont les moins nostalgiques. Elles suivent de près l'évolution de la gastronomie et des mœurs françaises. Désormais, étonnement, les Rastignacs – et non les rastiguais – sont des dames, qui ne font pas la cuisine, surtout pas la cuisine bourgeoise.

La cigale et les fourmis (fable moderne)

« A nous Paris ! » s'écrient-elles du haut de la tour Eiffel tandis que le jour point. Rastignacs du deuxième sexe et du vingt et unième siècle, elles ont la pêche, un pep d'enfer, de la tchatche. Ce ne sont pas des va-t-en-guerre, mais des amazones kitch. Agitant les oriflammes estampillées de la Bourse et les coupons des plus-values, elles veulent s'enrichir à tout berzingue pour avoir continûment, au banquet de la vie, le choix des hors-d'œuvre comme des desserts, du caviar comme des nonnettes.

Un flâneur du Champ-de-Mars, vieux zigoto de belle allure quoique habillé de cheviotte fripée, les ayant entendues, leur dit ceci :

« Mesdemoiselles, moi, tout de bonhomie et d'innocuité, plus fan des carottes et des tartiflettes que du cuisseau de veau aux girolles, ayant petitement vécu de biens-fonds de plus en plus fantomatiques, je suis d'une race de dilettantes sentimentaux, comme les ayes-ayes, en voie d'extinction. Je propose que nous associions vos fourre-tout rose bonbon à mon bagage en similicuir feuille-morte. Vous apporterez l'ambition, moi, la sagesse. A vous le capital, à moi les bakchichs ! En plus, je vous apprendrai à danser les french cancans, les fox-trot et les bossas-novas qui enchantèrent mes années les plus bath.

– Ah ! vous dansiez, répondent ces meufs très vaches. Eh bien, chantez, maintenant ! »

Bernard Pivot, Dicos d'or, finale 2003

Il y a un avant et un après Dicos d'or, même s'il y a des dictées pour adulte depuis bien longtemps. Toutefois, en sortant la dictée de l'école, ces Dicos d'or l'ont du même coup exportée hors la France et ont concouru au rayonnement de la francophonie. Citons notamment la Dictée des Amériques, créée en 1994, au Québec, là où cacahouète peut s'écrire cacahouette, comme l'explique Luc Plamondon, auteur de la dictée de 1996 et parolier de *Starmania*. Le monde des dictées est vraiment stone.

Aimez-vous comme moi ce jeu quelque peu snobé par l'intelligentsia (1) ? Êtes-vous plutôt des verbicrucistes ou des mots-croisistes ? Ou préférez-vous jouer au whist en sirotant un whisky écossais pur malt, ou bien ponter au baccara sous un lustre de baccarat ?

Quoi qu'il en soit, mon amie Clémence est une scrabbleuse hors pair. L'autre après-midi, chez moi, à l'ombre de l'abbaye de Saint-Benoît-du-Lac, comme les samedi et dimanche de chaque semaine, assis tous les deux sur quelque banquette bleu-noir à une table où trônaient des amaryllis rouge et blanc frais cueillies ainsi que deux pichets – l'un de citronnade, l'autre de limonade –, nous avons fait une partie quasi inénarrable ! (Fin de la dictée pour les juniors.)

226

D'entrée de jeu, elle écrivit piranha ; moi, panaris (après en avoir, par acquit de conscience, vérifié la finale page six cent quatre-vingt du dictionnaire). Et, dans les deux heures et demie qu'ont duré ces moments bénis, elle réussit quatre autres mots de sept lettres : eczémas, hoiries, flopées et radoubs !

Entre-temps, je me demandais s'il fallait écrire cacahuète, cacahouète ou cacahouette, alors que les trois orthographes sont acceptées. Puis, obsédé par cette damnée dictée qu'on m'avait demandé d'écrire pour vous, je me suis amusé à déterrer dans mon dictionnaire décrépit toute une kyrielle de mots tordus qui siéent mieux à une épreuve linguistique qu'à une ballade rock, comme aurochs, pithiviers, oaristys, breitschwanz ou, mieux encore, les synonymes amphigouri, salmigondis, galimatias et charabia. Résultat : mes divagations m'ont valu une raclée dont Clémence, ingénument mais incongrûment, s'est déjà trop vantée...

Sans me prendre pour La Fontaine, je vous laisse, comme morale, ces vers de mirliton :

J'aurais voulu que ma dictée
Soit conçue pour être chantée
Mais le français depuis toujours
Est fait pour les chansons d'amour.

(1) – Autre orthographe possible : intelligentzia

Dictée des Amériques 1996, « La partie de Scrabble »

En 2003 ont lieu les derniers Dicos d'or, en 2009 la dernière dictée des Amériques. Les Timbrés de l'orthographe tentent de prendre la relève, suivis par la Dictée des cités par Rachid Santaki. Lorsque la dictée sort de l'école et s'invite en plein air dans les banlieues, elle rassemble des milliers de personnes. *Quatrevingt-treize* de Victor Hugo dans le « 9-3 », par saint Denis, quel génie !

Tout était plein de fleurs ; on avait autour de soi une tremblante muraille de branches d'où tombait la charmante fraîcheur des feuilles ; des rayons de soleil trouaient çà et là ces ténèbres vertes ; à terre, le glaïeul, la flambe des marais, le narcisse des prés, la gênotte, cette petite fleur qui annonce le beau temps. Le taillis était tout de bouleaux, de hêtres et de chênes ; le sol plat ; la mousse et l'herbe épaisse amortissaient le bruit des hommes en marche ; aucun sentier, ou des sentiers tout de suite perdus ; des houx, des prunelliers sauvages, des fougères, des haies d'arrête-bœufs, de hautes ronces ; impossibilité de voir un homme à dix pas.

Dictée des cités, Saint-Denis, mai 2015

Dicos d'or, Dictée des Amériques, Dictée des cités, nous étions sortis de l'école. La récréation est terminée. Il est grand temps de retourner en classe, avec un œil d'adulte cependant.

LES DICTÉES COQUINES

La dictée permet à l'instituteur d'être, pour une fois, trivial, voire vulgaire, souvent sans s'en apercevoir. À bout de nerfs, il s'énerve quand ses élèves ricanent. Si l'argot est mis au ban des dictées, le vocabulaire de la cuisine est là pour offrir tout une gamme de salaceries, salées ou sucrées. Soudain victime d'un syndrome de la Tourette orthographique, l'instituteur, d'ordinaire austère, mitonne une dictée riche en spaghettis à la putain (*alla puttanesca*), pets-de-nonne, truffes et autres gigolettes, à moins qu'il ne se satisfasse, en lançant à ses élèves « espèces d'andouilles », « espèces de glands » ou, tout simplement, « vieilles noix », l'œil sévère et la mine interlope.

Est-ce volontaire ? certaines de nos dictées sont pour le moins ambiguës, mot qui a la perversion de mettre un tréma sur le *e*. Donnée au certificat d'études en 1954, la chatte de Colette a dû faire des ravages.

Le premier feu, vu par la chatte
Feu ! Te voici revenu, plus haut que mon souvenir, plus cuisant et plus proche que le soleil ! Feu ! que tu es splendide ! Par pudeur, je cache ma joie de te revoir, je ferme à demi mes yeux où la lumière amincit ma prunelle. Mon ronron discret se perd dans ton crépitement. Ne pétille pas trop, ne crache pas d'étincelles sur ma fourrure ; sois clément, feu varié, que je puisse t'adorer sans (voir cette leçon en

complément sur les accords après « sans ») crainte... Je sais, puisque je suis chat, tout ce qui vient derrière toi, feu. Je prévois l'hiver que j'accueille d'une âme inquiète, mais non sans (voir cette leçon en complément sur les accords après « sans ») plaisir. En son honneur, déjà ma robe croît et s'embellit. Mes rayures brunes deviennent noires et le poli de mon ventre passe en beauté tout ce qui s'est vu jamais. (Colette)

La dictée est pure par nature. Si parfois elle se complaît dans la misère, elle évite toute allusion sexuelle. La mixité généralisée n'a guère plus de quarante ans. Avant les années 1970, il fallait attendre la fin de la classe pour soulever les jupes des filles. Inutile d'exciter les jeunes esprits avec des idées lubriques. Las, la dictée ingénue ne se méfie pas du double sens.

Jean dit à Louise : Veux-tu jouer au loup ?
Je veux bien, dit Louise, mais tu seras le loup.
Jean se cache dans une touffe de buis.

A. Mironneau, *La Grammaire par les textes et par l'usage*, 1929

L'écolier donne un coup de coude à son voisin et tous les deux rigolent quand le maître annonce fièrement que le bon Henri IV « mettait la poule au pot » tous les dimanches. Sully, lui, prenait à pleines mains « les deux mamelles de la France ». De même avec Claudel. Relisons cette dictée, mais cette fois avec un esprit cochon.

Le porc

Je peindrai ici l'image du porc. C'est une bête solide et tout d'une pièce ; sans jointure et sans cou, ça fonce en avant comme un soc. Cahotant sur ses quatre jambons trapus, c'est une trompe en marche qui quête, et toute odeur qu'il sent, y appliquant son corps de pompe, il l'ingurgite. S'il a trouvé le trou qu'il faut, il s'y vautre avec énormité. Ce n'est point le frétillement du canard qui entre à l'eau ; ce n'est point l'allégresse sociable du chien ; c'est une jouissance profonde, solitaire, consciente, intégrale. Il renifle, il sirote, il déguste, et l'on ne sait s'il boit ou s'il mange ; tout rond, avec un petit tressaillement, il s'avance et s'enfonce au gras sein de la boue fraîche ; il grogne, il jouit jusque dans sa triperie, il cligne de l'œil. (Paul Claudel)

M. Pieuchard, *100 nouvelles dictées au C.E.P.*, 1965

La dictée est sans pitié. Après les rires et les chants, voici venu le temps des brimades.

DICTÉES DÉPRIMANTES

L'exercice scolaire peut se révéler doublement cruel. Quel élève n'a pas eu les larmes aux yeux en recevant sa copie barbouillée de rouge ? Nul. Il est d'autant plus déprimé quand le sujet de la dictée est triste à pleurer. Avant même d'apprendre *Le petit cheval blanc*, poème de Paul Fort, puis d'avoir le cœur gros en écoutant chanter Brassens, l'écolier avait découvert la misère chevaline dans les dictées. L'objectif de l'exercice est de ne pas confondre le participe présent et l'adjectif verbal, avec un texte donné au certificat d'études pour la Seine-Inférieure qui fait découvrir à la fois ce que sont la haridelle et la déprime enfantine.

Pauvre vieille haridelle, à la peau galeuse et rongée de plaques saignantes, au poil jadis roux, maintenant jaunâtre, usé, couvert de larges plaques de boue qui s'écaillaient, elle avait l'air de chanceler dans les souffles âpres du vent... Ses yeux caves, où l'arcade sourcilière creusait un trou profond, béant et saignant comme une plaie, ses jambes minées et rongées, son échine misérable qui trouait sa peau et dont les vertèbres auraient pu se compter comme les grains d'un chapelet, tout cela avait une détresse sans nom, cette détresse des bêtes que rien ne relève et ne console. (D'après Moselly)

G. Gabet, *Grammaire française par l'image*, 1946

L'écolier est un peu chamboulé face à « cette détresse des bêtes que rien ne relève et ne console ». Il pense au cheval fourbu qu'il rêve de panser. Décidément, il devient fort en orthographe et en homonymes. Il retrouve le sourire quand la maîtresse lui annonce qu'il va bientôt être question de petits agneaux. L'agneau est si mignon. Il est l'équivalent dans les dictées du chaton sur Internet, à ne pas confondre avec le chaton sur le noisetier. La joie de l'écolier est vite refrénée.

L'agneau de Pâques

Chérubins, on les tuera cependant ces pauvres brebis ; on leur ôtera leurs petits agneaux, qu'on tuera aussi, qu'on dépècera, qu'on assaisonnera, qu'on rôtira, qu'on mangera vers les fêtes de Pâques surtout. Quant aux pauvres moutons, c'est tous les jours qu'on les égorgera ; ils offriront leur cou au grand couteau des bouchers ; ils iront à la mort sans conscience du sort qui les attend, et on les vendra, on les achettera [sic], on les cuira et on les mangera comme les petits agneaux.

L. Debierne-Rey, *Dictées de l'enfance*, 1875

Dans l'abattoir des dictées, les malheurs de l'homme offrent de beaux sujets. *Le Livre unique de français* de Lucien Dumas contient des leçons détaillées sur « la circulation. Incidents, accidents », sur « le feu dévastateur, l'eau dévastatrice » ou encore sur « les infirmes, la pitié ». Quand il s'agit d'étudier les verbes, les sujets et les mots avec *y*, quoi de plus charmant que de mettre en scène un jeune paralytique ? Avec des chiens aussi.

Dans la péniche, le jeune paralytique s'ennuyait. Heureusement, les jeunes acteurs composent un spectacle attrayant et les chiens l'amusent un instant. Le pauvre enfant applaudit de tout son cœur et dit à sa mère : « Il faudra payer très cher. »

L. Dumas, *Le Livre unique de français,
cours élémentaire et moyen*, 1934

L'exercice qui suit la dictée est plaisant : il faut la retranscrire « en parlant seulement d'un jeune acteur et d'un chien ». Sans charité, le paralytique, lui, n'a pas droit au miracle. Impitoyable, Lucien Dumas a formé des générations à côtoyer, dès le plus jeune âge, la tristesse du monde. Parfois, pour divertir l'écolier, il propose d'aller au théâtre. Pas sûr que l'enfant en revienne joyeux.

Près de la porte du théâtre, un aveugle chante d'une voix faible. Il tend la main pour implorer la charité. Quelques passants émus s'arrêtent, fouillent dans leur poche et lui donnent un peu d'argent. Le pauvre homme remercie avec émotion. D'autres gens passent et le dédaignent. Je plains de tout mon cœur ce malheureux aveugle.

L. Dumas, *Le Livre unique de français,*
cours élémentaire et moyen, 1934

Des chevaux en souffrance, des agneaux dépecés, un paralytique et la voix faible d'un aveugle. Où sont les sourds ? Ah oui, ils peuvent difficilement écrire sous la dictée… Que reste-t-il pour saper le moral des élèves les plus résistants ? L'instituteur imagine alors de lui parler de boucliers et d'arcs-boutants tout crûment, pour évoquer la mort et la « chair du bout des doigts qui se retire ».

Les ongles sont les boucliers, et les arcs-boutants des doigts, car ils servent à les protéger et à leur donner de la force et de l'adresse pour saisir les plus petits objets. La racine des ongles est blanche et forme une espèce de croissant. Pendant la vie les ongles poussent toujours ; mais c'est une erreur populaire de croire qu'ils poussent après la mort ; c'est la chair du bout des doigts qui se retire.

L'École et la famille. Journal d'éducation, d'instruction et de récréation, 15 novembre 1921

Il vous reste cinq minutes

*Les noms féminins se terminant par -té
s'écrivent sans e, sauf la jetée, la pâtée,
la portée, la montée et... la dictée.*

En octobre 1928, le rideau se lève sur la scène du théâtre des Variétés. Se promenant autour d'un élève de douze ans, l'instituteur Topaze fait la dictée :

Des moutons... Des moutons... étaient en sûreté... dans un parc... dans un parc. (Il se penche sur l'épaule de l'élève et reprend.) Des moutons... moutonsssss... (L'élève le regarde ahuri.) Voyons, mon enfant, faites un effort. Je dis moutonsse. Étaient (il reprend avec finesse) étai-eunnt. C'est-à-dire qu'il n'y avait pas qu'un moutonne. Il y avait plusieurs moutonsse.

Fils d'instituteur qui a connu la gloire, Marcel Pagnol s'amuse de la dictée, dans sa pièce *Topaze*. Le public sourit à l'évocation de ces « moutonsse ». Il en a déjà connu dans son enfance. Le phrasé

236

particulier de la dictée le ramène sur ses bancs d'écolier. En plus de titiller la nostalgie et l'orthographe, les dictées sont quelquefois des œuvres poétiques. C'est le cas avec les dictées de mots et leurs étranges associations, presque aussi belles que « la rencontre fortuite sur une table de dissection d'une machine à coudre et d'un parapluie » chez Lautréamont. Le surréalisme est peut-être né dans les dictées.

Ils effraient les passants par des récits mensongers ; je louerai ma chambre garnie ; tu pèles des pommes de terre et tu jettes des cailloux ; attelles-tu les chevaux ? on adjugea ce meuble à un étranger ; ils forgèrent toute la journée ; vous végétez dans cette profession ; il exige que je protège les opprimés ; ma sœur voulait que votre cousine obligeât ces braves gens ; pendant que vous jouiez, nous clouions vos planchers ; il faut que je nettoie mes habits ; j'agrée cette offre ; tu te crées de nouvelles difficultés ; je perds sur ce marché ; ils suppléèrent mon frère ; nous suppléons aussi les leurs ; tu époussètes [sic] le linge.

A. Fabre, *Cours nouveau et complet de dictées graduées*, 1865

La dictée sait raconter des histoires. Parfois l'élève oublie la difficulté orthographique tant il est captivé par le récit. Les candidats au brevet des collèges à Caen, en juin 1988, ne sauront pas si les deux adolescentes échappèrent à l'incendie, comme à la lecture d'un roman d'Italo Calvino : si par un jour d'été, un écolier...

Dans l'incendie

Au milieu des flammèches qui volaient partout, de la fumée épaisse comme une nuée d'orage, gênés par les meubles et les objets que les occupants de la chambre avaient rejetés, bousculés dans leur affolement, les deux jeunes gens progressaient à grand peine. Sous l'effet de la grosse chaleur, le bois des murs, du plafond, du plancher, des lits, des sièges, des coffres, craquait, se fendait, éclatait, autour d'eux.

Ils parvinrent cependant près d'une fenêtre dans l'embrasure de laquelle s'étaient réfugiées deux adolescentes. Elles avaient dû croire possible de s'enfuir en sautant par cette ouverture, mais la hauteur du deuxième étage rendait irréalisable tout espoir d'évasion.

Annales Vuibert, 1988

La dictée est un sport collectif mais elle peut aussi être solitaire, avec les autodictées. Aujourd'hui, nos téléphones portatifs et autres tablettes proposent un secrétaire intégré : des applications gratuites et disponibles sur toutes les plateformes sont capables d'écrire sous la dictée, sans souci. Il faut juste faire preuve de tolérance grammaticale. Par le truchement de la technique, le texte classique devient un amusement :

Mettre corbeau sur un arbre perché tenait en son bec un fromage. Mettre renard parle de râle chez lui teint à peu près ce langage.

Faut-il réformer l'orthographe ? Le sujet revient régulièrement dans l'actualité, avec ses partisans et ses opposants. Dans tous les cas, il fait débat. En 1750, Pierre Pipoulain-Delaunay avait proposé une méthode pour réformer la manière d'écrire. Il en avait fait un livre et, pour appuyer son propos, avait publié la lettre dictée à l'une de ses élèves de huit ans, la meilleure sans doute.

Ma chère Mère, j'ai été aujourd'hui 14. Septembre 1745. à l'Abbaye de Saint Martin des Champs, où l'on m'a fait expliquér le titre & quèlques emblêmes d'Alciat, avèc le Prologue de Perse, en présence des RR. PP. Dom Poncet, premièr Assistant, Dom Pèrnot Bibliotéquaire de la Maison, Dom le Duc Secrétaire, Dom Garnison, autre digne Religieux, & aussi en la présence de M. l'Abbé de Ladhoue Docteur en Théologie. Ces RR. PP. m'ont fait des quéstions sur les principes de la Langue Latine, même les plus dificiles : ils ont u la bonté de paroître contens, & ils sont convenus que j'ètois sure de tous les principes.

P. Pipoulain-Delaunay, *Alphabet pour les enfans, contenant les 8 leçons de la méthode de M. de Launay pour aprendre à lire le françois et le latin*, 1750

Le langage texto existait déjà au XVIIIe siècle, de même que les émoticones sont nées dans les hiéroglyphes des pharaons. Les grammairiens ne sont pas les derniers à s'y mettre, quitte à textoter à la limite de l'entendement. Le texto brut **DR** (et) **MRS P. VANDERTRAMP**, est un acronyme mnémotechnique destiné à aider l'élève à se souvenir que : « descendre, rentrer, mourir, revenir, sortir, passer par, venir, aller, naître, devenir, entrer, retourner, tomber, rester, arriver, monter, partir s'emploient avec l'auxiliaire être ». Les pédagogues et les enseignants déploient des trésors d'imagination pour faire apprendre l'orthographe. Ils n'y parviennent jamais entièrement – le français est une langue beaucoup trop difficile – et c'est tant mieux : à quoi ressemblerait une école sans dictée ? Pire, des écoliers impeccables ? Ce serait triste si Ornicar cessait de jouer à cache-cache dans nos mémoires.

La volonté de figer l'orthographe ou de sans cesse la réformer – laissez-la vivre ! – est depuis longtemps moquée. En 1893, Alphonse Allais avait publié *La réform de lortograf*. Oui à la réforme !

La kestion de la réform de lortograf est sur le tapi. Naturelman, il a dé jan qui se voil la fass kom sil sajicé de kelk onteu sacriléj. Dôt'z'o contrer trouv ça trè bien. Kom de just, je fu lun dé premié interviouvé. Mon cher mêt parci, mon cher mêt parlà, ke pancé vou de cett réform ?

Ce ke jan pans, cé tré simpl : je la trouv exélante.

La dictée est une discipline orale mais il existe des dictées pour les malentendants. Ils ont droit à une dictée spécifique, la cacographie ou dictée fautive. L'exercice consiste à recopier le texte après en avoir corrigé les fautes d'orthographe. Ainsi, en juin 1988, à Nantes, les examinateurs ont eu la perversité de rajouter des fautes dans un texte d'Édouard Bled !

Le dimanche, nous déjeunions dans la salle verte ombragée de ses beaux marronniers. Un jour, maman proposa d'y prendre le dîner, car l'aire était étouffant dans la maison. Nous commençâmes le repas à la demi-clarté du jour finissant, mais quand mon père alluma la lampe-tempête au dessus de la table, des papillons aux ailes épaisses, des insectes de nuit dont nous ignorions l'existence vinrent buté contre la lampe, ils y restaient collés un court instant puis tombaient tout cuit dans nos assiettes. Tous les papillons, tous les insectes de la création semblaient s'être donnés rendez-vous au dessus de nos têtes. Le dimanche suivant, mon père avait trouvé la parade, il avait instalé deux lanternes éloignées de la table. On dîna sereinement tout en observant la ronde mortelle des insectes.

L'automne vint. Le jardin tins toutes ces pro-messes. Je fis ma dernière rentrée à l'école primaire. (Edouard Bled, J'avais vingt ans en 1900)

Annales Vuibert, 1988

Plus vicieuse encore que la dictée pour sourd, il y a la dictée musicale : ce sont trois voix que l'élève de solfège doit retranscrire sans couac, selon les règles de l'harmonie, un peu comme si les écoliers avaient à écrire trois dictées en même temps. Il faudrait avoir le génie de Beethoven pour éviter les pièges de la cacophonie et de la cacographie de concert. Il faut que la dictée reste une chanson douce. Pendant ce temps, les apprentis secrétaires frappent comme des sourds et très très vite leurs claviers (bien tempérés) car ils sont en pleine dictée sténographique : *andante, staccato veloce*. Les mains courent après les mots, l'orthographe consent à se laisser couper la tête, à condition de bien placer l'accent sur abréger.

La dictée est une musique, celle de la voix du maître qui insiste sur les liaisons, celle de la plume qui gratte le papier. Elle donne le rythme, parfois effréné, parfois lancinant, d'un pays sûr de lui, où l'histoire est figée, la géographie magnifiée, la famille idéalisée et surtout l'orthographe réglementée. Pourtant, la dictée est un univers d'hésitation, celle du bon accord, du doublement de consonne et de l'accent bien orienté. La dictée se présente inaltérable, intemporelle mais elle évolue sans cesse, selon l'air du temps, les progrès sociaux, les croyances et les réformes orthographiques. Certaines dictées vieillissent mal quand d'autres se bonifient. Toutes sont un privilège, injuste, difficile, comme la langue des petits Français. Elles sont peut-être le rare privilège qui ne se laisse pas abolir. Dans tous les cas, elles sont l'instantané d'un moment de notre société où le point final arrive toujours trop vite.

Bibliographie

Dans tous les cas, le texte donné est celui reproduit dans le manuel de dictée, même lorsqu'il s'éloigne du texte de l'auteur cité.

RECUEILS DE DICTÉES, MANUELS SCOLAIRES (PAR DATES)

Pierre DURAND, *Le Stile et Manière de composer, dicter & escrire toute sorte d'épistres, ou lettres missives, tant par response que autrement, avec Epitome de la poinctuation, & accentz de la langue Françoise : livre très-utile & proufitable*, Paris, chez Maurice Meunier, 1553, 272 p.

PIPOULAIN-DELAUNAY, *Alphabet pour les enfans, contenant les 8 Leçons de la Méthode de M. de Launay pour aprendre à lire le François & le Latin*, Paris, Veuve Robinot, 1750, XII-168 p.

M.-A. PEIGNÉ, *Éléments de la grammaire française par Lhomond ; édition corrigée, annotée et enrichie, pour la première fois, de dictées analytiques et orthographiques en regard du texte, par M.-A. Peigné*, Paris, Isidore Pesron, 1836, 112 p.

Mme Édouard CHARRIER-BOBLET, *Cours complet d'orthographe. L'orthographe enseignée par la pratique aux enfants de 7 à 9 ans : recueil de dictées faciles et d'exercices gradués*, Paris, Dezobry, E. Magdeleine et Cie, 1846, X-264-XXIV p.

Abel Fabre, *Cours nouveau et complet de dictées graduées*, Saint-Étienne, Pasteur libraire, 1865, 292 p.

Adrien Clément-Rochas, *Cours de dictées à l'usage des écoles et des pensionnats*, Paris, Librairie de la Suisse romande, 1868, 178 p.

F. P. Bransiet, *Cours élémentaire d'orthographe ou dictées et exercices préparatoires au cours intermédiaire ou de première année, livre de l'élève*, Tours, Alfred Mame, 1869, 71 p.

Guillaume Belèze, *Dictées et lectures : notions élémentaires sur l'agriculture, l'industrie, l'économie domestique, les inventions et les découvertes*, Paris, J. Delalain et fils, 1869, VIII-352 p.

Lucien Leclair, *Nouveau cours de dictées*, Paris, E. Belin, 1872, 210 p.

J.-V. Gallien, *Exercices gradués sur la Grammaire française*, Paris, A. Boyer et Cie, 1872, 2 volumes.

Alain Gouzien, *Dictées françaises faisant suite à la nouvelle Grammaire française*, Paris, Librairie de l'Écho de la Sorbonne, 1873, II-160 p.

Lisbeth Debierne-Rey, *Dictées de l'enfance*, Paris, Vve Maire-Nyon, 1875, VIII-184 p.

F. Astier, *Recueil de dictées, leçons et problèmes sur l'agriculture*, Paris, P. Dupont, 1876, 380 p.

Clarisse Juranville, *Dictées curieuses sur les difficultés, les contrastes, les bizarreries, les anomalies, les irrégularités et les subtilités de la langue française, suivies de dictées officielles données dans les examens de l'Hôtel de ville, à la Sorbonne et dans les départements*, Paris, Larousse, 1896, 192 p.

Camille Toulouse, *La Lutte contre la tuberculose à l'école*, Rodez, Ch. Colomb, 1902, 78 p.

Alcide Lemoine, *Contre l'alcoolisme : recueil de devoirs préparés pour chaque semaine*, Paris, Fernand Nathan, 1902, 88 p.

A. Viales, *La première année d'éducation et d'enseignement postscolaires des jeunes filles*, Millau, Impr. de Bernat et Vent, 1911, 186 p.

G. Manuel, *Cent dictées des examens du certificat d'études primaires*, Paris, Hachette, 1916, 80 p.

J.-M. Coudert, A.-F. Cuir, *Mémento pratique du certificat d'études primaires. Livre du maître*, Paris, Armand Colin, 1903, 165 p.

Lucien Dumas, *Le Livre unique de français*, Paris, Hachette, 1928, 422 p.

A. Mironneau, *La Grammaire par les textes et par l'usage*, Paris, Armand Colin, 1929, 224 p.

Lucien Dumas, *Le Livre unique de français*, Paris, Hachette, 1934, 379 p.

M. Holot, *Cent dictées données au certificat d'études primaires (conformes au nouveau programme de 1938)*, Paris, Hachette, 1940, 88 p.

Diplôme d'études primaires préparatoires et certificat d'études primaires et élémentaires. Département du Finistère, session de 1942, Quimper, 1942, 46 p.

Gustave Gabet, *Grammaire française par l'image, cours moyen. Livre du maître*, Paris, Hachette, 1946, 352 p.

Recueil de 100 examens complets proposés au C.E.P.E., livre du maître, Saverdun, Éditions du Champ de Mars, 1954, 108 p.

Jean Laleuf, *Recueil de dictées*, Paris, Charles-Lavauzelle, 1958, 79 p.

G. Galichet, Gaston Mondouaud, *Je découvre la grammaire et l'orthographe*, Paris, Charles-Lavauzelle, 1963, X-168 p.

Marcel Pieuchard, *100 nouvelles dictées au C.E.P.*, Paris, Fernand Nathan, 1965, 203 p.

René Thimonnier, *Code orthographique et grammatical*, Paris, Hatier, 1970, 320 p.

Examen d'entrée en sixième. Annales Vuibert, Paris, Librairie Vuibert, 1973, 125 p.

Georges Galichet, R. Galichet, *Dictées préparées, dictées de contrôle*, Paris, Hatier, 1977, 269 p.

Entrée en sixième, Guide pratique Bordas, Paris, Bordas, 1975, 191 p.

C.E.P., Certificat d'études primaires, Livre du maître, Annales Vuibert, 1977, 262 p.

R. Millot, Y. Tribaux. *Lisons Lisette*, CE2, Belin, 1978.

245

Annales du certificat d'études primaires, livre du maître, Paris, Vuibert, 1982, 219 p.

Brevet des collèges, juin 1988, Annales Vuibert, Paris, Vuibert, 1988, 151 p.

Bernard PIVOT, Micheline SOMMANT, Les Dictées de Bernard Pivot, Paris, Livre de Poche, 2002, 605 p.

Maurice GREVISSE, Corrigé des exercices de grammaire française, Bruxelles, De Boeck, 2005, 407 p.

Jacques GIMARD, Passez le certif', Paris, Hors Collection, 2013, 232 p.

Bled, 600 dictées Collège, Paris, Hachette, 2015, 160 p.

Jérôme DUHAMEL, Florence DUHAMEL-DUGOT, Dictées d'hier et d'aujourd'hui. Mythiques ou décalées, à thèmes ou libres, 120 dictées pour s'amuser !, Paris, Grund, 2015, 185 p.

www.dicteedesameriques.com

www.ladicteedescites.com

REVUES

Revue de l'enseignement primaire

L'École et la famille. Journal d'éducation, d'instruction et de récréation

L'École normale, journal de l'enseignement pratique

LITTÉRATURE

Albert COHEN, Le Livre de ma mère, Paris, Gallimard, 1954.

COLETTE, Claudine à l'école, Paris, Paul Ollendorf, 1900.

Michel JEURY, Jean-Daniel BALTASSAT, Petite histoire de l'enseignement de la morale à l'école, Paris, Robert Laffont, 2000, 223 p.

Marcel PAGNOL, Topaze, Paris, Théâtre des Variétés, 1928.

Daniel PICOULY, La faute d'orthographe est ma langue maternelle, Paris, Albin Michel, 2012.

ÉTUDES

Patrick CABANEL, *La République du certificat d'études. Histoire et anthropologie d'un examen (XIXe siècle-XXe siècle)*, Paris, Belin, 319 p.

Bernard CERQUIGLINI, *Le Roman de l'orthographe. Au paradis des mots, avant la faute 1150-1694*, Paris, Hatier, 1996, 169 p.

Olivier LOUBES, *L'École et la Patrie. Histoire d'un désenchantement. 1914-1940*, Paris, Belin, 2001, 221 p.

Olivier LOUBES, Benoît FALAIZE, Charles HEIMBERG (dir.), *L'École et la Nation*, Lyon, ENS éditions, 2013, 508 p.

Danièle MANESSE, Danièle COGIS, *Orthographe : à qui la faute ?*, Issy-les-Moulinaux, ESF éditeur, 2007, 250 p.

Antoine PROST, *Histoire de l'enseignement en France. 1800-1967*, Paris, Armand Colin, 1968, 524 p.

Antoine PROST, *Éducation, société et politiques. Une histoire de l'enseignement en France de 1945 à nos jours*, Paris, Seuil, 1992, 226 p.

François GRÈZES-RUEFF, Jean LEDUC, *Histoire des élèves en France. De l'Ancien Régime à nos jours*, Paris, Armand Colin, 2007, 449 p.

Alain CHOPPIN, « Le manuel scolaire, une fausse évidence historique », *Histoire de l'éducation*, n° 117, janvier-mars 2008, p. 7-57.

Crédits

Bernard Pivot, *Les Dictées de Bernard Pivot* © Éditions Albin Michel, 2005

R. Millot et Y. Tribaux, *Lisons Lisette – CE2* © Éditions Belin, 1978

René Barjavel, *Ravage* © Éditions Denoël, 1943

Édouard Bled, *J'avais un an en 1900* © Librairie Arthème Fayard 1987, 2014

Henri Bosco, *L'Âne culotte* © Éditions Gallimard, 1937

Albert Camus, *La Peste* © Éditions Gallimard, 1947

Albert Cohen, *Le Livre de ma mère* © Éditions Gallimard, 1954

Simone de Beauvoir, *Mémoires d'une jeune fille rangée* © Éditions Gallimard, 1958

Jean-Paul Sartre, *Les Mots* © Éditions Gallimard, 1963

Nathalie Sarraute, *Enfance* © Éditions Gallimard, 1983

Jean Cocteau, *Les Enfants terribles* © Éditions Bernard Grasset, 1929

Colette, *La Chatte* © Éditions Bernard Grasset, 1933

Jean Guéhenno, *Journal d'un homme de quarante ans* © Éditions Bernard Grasset, 1934

BLED, *600 dictées Collège* © Éditions Hachette, 2015

René Thimonnier, *Code orthographique et grammatical* © Éditions Hatier, 1970

Remerciements

Merci à Mmes Besnier et Leloup, institutrices en or, pour leurs conseils vénérables et inestimables.

Merci aussi, en rang deux par deux, à Sylvie Delassus, Valérie Toranian, Capucine Ruat, à tous les bons élèves de la classe Stock et à leur maître Manuel Carcassonne.

Merci à Erik Orsenna pour avoir chapeauté avec tant d'enthousiasme et de bienveillance notre livre.

Merci à Robert Mauduit et à Fortuné Crueize pour nous avoir légué la beauté des pleins et des déliés.

Merci à tous nos instituteurs et professeurs, aux stylos rouges, aux carreaux Seyès et aux antisèches !

Table

Cet ouvrage a été composé
par Nord Compo à Villeneuve-d'Ascq (Nord)
et achevé d'imprimer en août 2016
par Cayfosa à Barcelone
pour le compte des Éditions Stock
21, rue du Montparnasse, 75006 Paris

Stock s'engage pour
l'environnement en réduisant
l'empreinte carbone de ses livres.
Celle de cet exemplaire est de :
550 g éq. CO_2
PAPIER À BASE DE   Rendez-vous sur
FIBRES CERTIFIÉES   www.editions-stock-durable.fr

Imprimé en Espagne

Dépôt légal : septembre 2016
N° d'édition : 01
32-07-9220/7